Yoko Mure

Akikos kleines Café

Yoko Mure

Akikos kleines Café

Roman

Aus dem Japanischen von
Yukiko Luginbühl
und Sabrina Wägerle

Kiepenheuer & Witsch

1

Akiko ging die Treppe hoch in den zweiten Stock. Im Café unten war endlich alles aufgeräumt. Leise drang ihr das Miauen des graugestreiften Katers Taro ans Ohr, der zweifellos ihr Kommen witterte. »Nun mach schon!« Es klang drängelnd und gleichzeitig wie ein anhängliches Betteln.

»Bin ja schon da, mein Kleiner!«

Akiko durchquerte den sechs Tatamimatten großen Wohnbereich und betrat das etwas kleinere Schlafzimmer. Wie der Blitz sprang Taro vom Bett und schmiegte sich schnurrend an ihre Waden. Dann blickte er eine Weile still zu ihr hoch, bevor er zweimal fordernd maunzte.

Akiko lächelte. »Du willst zu Mama in den Arm?«, sagte sie, setzte sich auf die Bettkante und drückte den Kater wie ein kleines Baby mit dem Bauch nach oben an sich. Taro kniff genüsslich die Augen zusammen, als gäbe es kein größeres Glück, und begann alsdann gurrend mit den Vorderpfoten über sein Schnäuzchen zu streichen. Akiko dachte schon, er hätte sich bereits in süßen Träumen verloren, als er abrupt von ihrem Schoß sprang und sich vor sein Futternäpfchen hockte.

»Miau, miaaau!«

Es gehörte zu Taros festem Tagesplan, abends vor dem Schlafengehen eine frisch geöffnete Dose Katzenfutter zu verspeisen. Heute wählte Akiko die teuerste Marke aus dem Vorrat und gab ihm das Futter in sein Näpfchen. Anscheinend konnten Katzen teure von billiger Qualität sehr wohl unterscheiden, der Eifer, mit dem Taro heute fraß, war bemerkenswert. Während er geschäftig sein Festmahl vertilgte, wechselte Akiko sein Wasser und säuberte das Katzenklo. Zu Ladenzeiten hielt sie Taro hier oben in der Wohnung eingesperrt. Das tat ihr zwar weh, doch da es eine Gastronomie war, ging es leider nicht anders. Zu Beginn war ihr der Kater ständig nachgelaufen und hatte unaufhörlich an der Tür gekratzt, doch irgendwann hatte er es wohl aufgegeben und wartete inzwischen brav, bis sie wiederkam.

Sie hatte den dreijährigen Taro kurz nach der Eröffnung des Cafés mit dem Namen »ä« winzig in sich zusammengekauert in einem schmalen Spalt neben der Hauswand entdeckt. Sie konnte sich noch gut daran erinnern, welche Sorgen sie sich gemacht hatte, als sie das kleine, vom Regen am Vortag ganz dreckverschmierte Bündel sah, das nicht einmal mehr die Kraft hatte, zu miauen. Akiko hatte nach jemandem suchen wollen, der das Tier bei sich aufnahm, und hatte die Verkäuferin des Blumenladens gefragt, doch diese hatte schmunzelnd gemeint: »Warte nur, die wird noch deine winkende Glückskatze werden!«

Um ehrlich zu sein, hatte sich Akiko inzwischen ohnehin gefragt, ob sie dieses niedliche Kätzchen überhaupt je wieder hergeben konnte. Vielleicht sollte sie also eher sagen, die Verkäuferin des Blumenladens hatte ihr den entscheidenden Anstoß gegeben, den Kater schließlich zu sich zu nehmen. Inzwischen zählten die Momente, in denen sie ihren selig schnurrenden Taro mit dem runden Bäuchlein und den halb geöffneten Augen still im Arm hielt, zu Akikos glücklichsten Stunden.

Taro war das einzige Familienmitglied der dreiundfünfzigjährigen Akiko. Ihre Mutter, außer der sie niemanden hatte, war vor sechs Jahren mit siebenundsechzig gestorben. Ohne großes Leiden war sie eines Abends einfach zusammengebrochen und von dieser Welt gegangen. Sie hatte seit ihrer Jugend das Rauchen wie auch das Trinken geliebt, und vielleicht hatte es irgendwann einfach so kommen müssen. Ihren Vater hatte Akiko nie kennengelernt. Ein ›uneheliches Kind‹ nannte man Akikos Fall heutzutage. Früher, unter dem alten bürgerlichen Recht, hätte es noch geheißen: ›Ein Kind, das vom Vater nicht anerkannt wurde‹. Die Mangas, die Akiko in ihrer Kindheit verschlungen hatte, handelten oft von Mädchen, die wie sie nur einen Elternteil hatten. Diese Comic-Heldinnen wurden gemobbt und mussten Schreckliches durchmachen, doch am Ende tauchte immer der reiche Vater oder die bildhübsche Mutter auf, und sie lebten glücklich bis ans Ende ihrer Tage. Wie sehr hatte Akiko davon geträumt, dass irgendwann auch ihr Vater auf solche Weise in ihr Leben treten würde, doch dieser Tag kam nie. In Akikos wirklichem Leben gab es nur ihre kleine sonnengebräunte Mutter, die kräftig wie eine Amazone ihr Lokal schmiss und so ziemlich nichts mit ihr gemeinsam hatte.

Akiko wohnte schon immer in diesem Haus mit dem Restaurant im Erdgeschoss und der kleinen doppelstöckigen Wohnung darüber. Schon die Grundschule hatte sie von hier aus besucht. »Kayos Küche«, das Lokal ihrer Mutter, befand sich in einer kleinen, autofreien Einkaufsstraße, in der sich dicht an dicht viele Lokale und Läden für den täglichen Gebrauch reihten.

»Nach der Schule nimmst du nicht den Hintereingang bei der Küche, sondern den Eingang für die Gäste, ja? Ich will wissen, wann du da bist«, hatte ihre Mutter immer verlangt. Wenn Akiko nachmittags mit dem Schulranzen auf dem Rücken nach Hause kam, saßen im Lokal, obwohl eigentlich Zimmerstunde war, immer dieselben Männer bei ihrer Mutter und unterhielten sich qualmend mit ihr.

»Aki-chan! Na, wie war's in der Schule?«, hießen sie Akiko stets willkommen, doch sie murmelte immer nur knapp »Hallo«, verbeugte sich kurz und eilte nach oben in die Wohnung. Wie sie es hasste, ihre Mutter rauchen zu sehen! Auch am Abend nach Ladenschluss gingen die inzwischen betrunkenen Stammgäste nicht etwa nach Hause, sondern halfen ihrer Mutter, den Türvorhang abzunehmen, und begannen ihr allnächtliches Trinkgelage. Das Bild ihrer Mutter, wie sie, zwischen den Fingern der einen Hand ihre Zigarette und in der anderen Hand ihr Glas, herumalberte und dabei so richtig lallte, verabscheute Akiko zutiefst.

Zum Essen brachte ihr ihre Mutter zu bestimmten Zeiten etwas hoch oder zwang sie, ins Lokal hinunterzukommen. Wenn sie dann in einer Ecke hinter der Theke saß und ihr Abendessen zu sich nahm, sahen die beschwipsten Stammgäste hinter ihren Magazinen und Zeitungen hervor und überhäuften das kleine Mädchen, das sie noch war, mit Fragen: Was sie in der Schule denn gerade lerne, was es dort für Feste gab, was sie einmal werden wollte. Akiko neigte, wo sie nichts zu antworten wusste, ratlos den Kopf zur Seite und gab bei anderen Fragen in höflichem Japanisch Antwort.

»Ein feines Mädchen! Aus ihr wird mal noch was!«, lobten die Männer sie dann, worüber sich die Mutter natürlich freute. »Da hat die Weihe wohl einen Falken ausgebrütet!«, scherzte sie lachend.

In der dritten oder vierten Klasse war Akiko alles so leid, dass sie ihre Mutter bat, sie zum Zusatzunterricht für das Abakus-Rechnen und zum Kalligrafie-Kurs gehen zu lassen. Eigentlich interessierte Akiko weder das eine noch das andere, sie hätte ihre Zeit genauso gut in der Schulbibliothek oder mit den Hühnern und Hasen im Schulhof totschlagen können, um nicht nach Hause gehen zu müssen. Am liebsten hätte sie die Zeit nach dem Unterricht mit ihren gleichaltrigen Klassenkameraden verbracht, doch einige Eltern hatten ihren Kindern den Umgang mit Akiko verboten. Schon gar nicht durften diese Akiko mit nach Hause bringen. Ihre Mutter willigte wortlos ein, den Abakus- und den Kalligrafie-Kurs zu bezahlen, und schenkte Akiko damit einen Grund, die Abende nicht im Lokal verbringen zu müssen. Dass sie das Wissen aus diesen beiden Kursen, die sie ja eigentlich nur als einen Zufluchtsort gesehen hatte, viele Jahre später tatsächlich einmal anwenden konnte, war ein dankbarer Zufall.

Akiko war bereits in der Mittelschule, als ihr die Mutter zum ersten Mal Genaueres über ihren Vater erzählte. Akikos Mittelschule war bekannt für ihre hohen Anforderungen und die Möglichkeit, ohne Aufnahmeprüfung in die angegliederte Oberschule und Universität überzugehen. Außerdem lobte man überall die guten Manieren der Schülerinnen. Am meisten erfreut über Akikos Aufnahme in diese Schule war natürlich ihre Mutter gewesen.

Zur Aufnahmeprüfung hatte es auch ein Elterngespräch gegeben, und Akiko erinnerte sich, wie ihre Mutter darum gebangt hatte, ob die Eliteschule wirklich auch Mädchen aus sogenannten ›nicht ganz normalen‹ Familienverhältnissen aufnehmen würde. Nach Akikos Erfolg frohlockte sie stolz: »So, jetzt haben wir's denen aber gezeigt, Akiko!«, wobei Akiko nicht verstand, wen genau sie damit meinte. Ihre Mutter klang, als hätte sie endlich eine schwere Belastung aus ihrer Vergangenheit beseitigen können. Gleichzeitig schien sie sich verpflichtet zu fühlen, Akiko endlich mehr über ihre Herkunft zu erzählen.

»Dein Vater war ein Mönch«, eröffnete sie ihr nach der Eintrittsfeier. Akiko war baff. Noch während ihr die Frage im Kopf schwirrte, weshalb die beiden nicht zusammengeblieben waren, meinte ihre Mutter unverblümt: »Er war eben schon unter der Haube.« Akiko, die fürs Leben gerne las und von klein auf auch den Kopf in Büchern für Erwachsene gesteckt und sich heimlich durch die Frauenzeitschriften ihrer Mutter gelesen hatte, wusste natürlich, was das bedeutete. Der größere Schock kam jedoch, als sie erfuhr, dass ihr Vater dreißig Jahre älter war als ihre Mutter. Als Akiko geboren wurde, war ihre Mutter dreiunddreißig gewesen, ihr Vater musste dann dreiundsechzig gewesen sein, also schon ein richtiger Opa! Ihr Vater, ein klappriger Mönch ... Akiko fiel aus allen Wolken. In ihren Träumen hatte sie sich immer mit den Manga-Heldinnen identifiziert, doch nun war das Bild ihres unbekannten Vaters in tausend Scherben zerbrochen. Die Väter in ihren Manga-Bänden sahen stets blendend aus, hatten langes Haar und trugen elegante Anzüge. Jetzt wusste sie, dass ihr wahrer Vater ein alter, glatzköpfiger Mönch war. Ihre Mutter, die

Akikos fassungslosen Blick wohl etwas anders auffasste, meinte beschwichtigend: »Dein Vater war ein ehrenvoller Mann, ich hatte hohe Achtung vor ihm.«

Das ... ist es nicht, Mama.

Schweigend starrte Akiko zu Boden.

»Er war ein so großzügiger Mensch. Nur eben in Sachen Frauen, da ... Aber weißt du, weil er dich nicht als sein Kind anerkennen konnte, hat er mir im Gegenzug reichlich Geld zukommen lassen, weit mehr als genug. Dank ihm haben wir unseren Laden und die Wohnung!«

Doch die Mutter konnte noch so auf sie einreden, Akikos Stimmung wollte sich nicht mehr heben, sie lauschte den Worten, als hätte das alles nichts mit ihr zu tun. Ihre Mutter begann zu schluchzen, als sie erzählte, dass Akiko als kleines Mädchen nie nach ihrem Vater gefragt hätte. »Du hast mir so unglaublich leidgetan!«, sagte sie. Akiko konnte sich jedoch nicht mehr erinnern und schwieg. Unter Tränen fuhr ihre Mutter fort: »Auch wenn er sich nicht als dein Vater bekennen konnte, hätte er bestimmt gerne gesehen, wie groß und hübsch seine Tochter geworden ist.« Erst jetzt fiel Akiko auf, dass sie in der Vergangenheit sprach.

»Lebt mein Vater noch?«

»Man hat mir gesagt, er sei vor zwei Jahren an einem Herzinfarkt gestorben. Ich wusste das auch nicht.« Ihre Mutter wischte sich kopfschüttelnd die Tränen von den Wangen. Doch Akiko konnte auch darauf nichts anderes tun, als mit den Schultern zu zucken; ihr Vater war ohnehin nie ein Teil ihres Lebens gewesen. Die von Tränen untermalten Ausführungen ihrer Mutter setzten sich noch eine Weile fort: Anscheinend war der Inhaber der Bar, in der sie als junge Frau gearbeitet hatte, ein Gönner des Tempels von Akikos Vater gewesen. So hätten sie sich kennengelernt. *Eine wunderbare Ausgangslage ...*

Und tatsächlich kam es nicht gut: Als ihre Mutter erfuhr, dass sie schwanger war, kündigte sie ihren Job in der Bar unter dem Vorwand, in ihre Heimat zurückzukehren. Es erschien ihr unmöglich, ihrem Chef die Wahrheit zu sagen. Doch Akikos Vater bat sie um Verzeihung: »Ich werde bis zu meinem Ende für den Lebensunterhalt des Kindes sorgen, aber mehr kann ich nicht tun.« Er kaufte Akikos Mutter in einem entfernten Stadtteil ein kleines Haus und machte sich aus dem Staub. Ihre Mutter, die diesen Mann immer noch liebte, nahm seine Unterstützung an und brachte Akiko mit der Hilfe einer nahen Verwandten des Mönchs zur Welt. Als Akiko drei Jahre alt war, verkaufte sie das Haus und baute mit dem Erlös und dem Geld, das er ihr schickte, auf einem freien Grundstück der Einkaufsstraße ein Ladenlokal mit darüberliegender Wohnung und zog dort ein.

»Und du wirst es nicht glauben, Akiko ...« sagte ihre Mutter, die bis eben noch geschnieft und geschluchzt hatte, und blickte sie auf einmal an, als würde sie ihr ein brandheißes Gerücht weitererzählen. »Diese angebliche ›Verwandte‹ von ihm, die damals für uns gesorgt hat, war ebenfalls seine Geliebte ... Das habe ich erst viel später erfahren und war geschockt! Übrigens hat er bei deiner Geburt schon wieder eine Neue gehabt. Hach, ja, eine unheilbare Krankheit ...« Sie zuckte mit den Schultern. »Kinder hatte er aber nur mit seiner Ehefrau und mit mir und bei der anderen waren es zwei Jungen. Du musst ihm viel bedeutet haben, Akiko, ja, da bin ich mir sicher«, murmelte sie wie zu sich selbst. Bestimmt hatte es ihre Mutter nicht leicht gehabt im Leben, dachte Akiko in jenem Moment. Das hatte aber nichts mit ihr zu tun. Reuevoll erzählte ihre Mutter noch, dass sie das einzige gemeinsame Foto von Akikos Eltern beim Umzug aus Versehen weggeworfen hatte.

Obwohl Akiko nicht so aufwuchs wie viele andere Jugendliche, fühlte sich das Leben zu zweit mit ihrer Mutter für sie am natürlichsten an. Auch wenn sie manchmal von oben herab behandelt oder bemitleidet wurde, sie kannte nun einmal nichts anderes und hatte sich damit abgefunden. Nach jenem Gespräch war sie zwar froh, nun endlich ihre Wurzeln zu kennen, spürte aber auch, dass sie nicht zu offen darüber sprechen sollte. Ob es nicht besser gewesen wäre, sie hätte erst gar nicht davon erfahren?

Anders als in der Grundschule wurde Akiko in der Mittel- und Oberschule nicht mehr von allen mit Fragen gelöchert, weil auf der Schülerliste in der Spalte der Erziehungsberechtigten nur bei ihr ein Frauenname stand. Nur manchmal bemerkte jemand mitfühlend: »Ist bestimmt nicht leicht für deine Mama.«

Nachmittags, wenn Akiko nach der Schule in ihrer Oberschülerinnen-Uniform nach Hause kam und das Lokal betrat, lobten sie die Stammgäste, die dort ihre Zeit totschlugen: »Mit dieser schicken Uniform siehst du erst recht klug aus, Aki-chan!«

Akiko lächelte daraufhin verlegen und nickte nur freundlich. Einmal prahlte ihre Mutter vor den Männern stolz: »Ich will das Mädchen zum Studium ins Ausland schicken. Ich setze alles daran, um ihr das ermöglichen zu können, das sage ich euch!« Akiko, die sich nicht erinnern konnte, mit ihr jemals darüber gesprochen zu haben, stand wie versteinert da. Die Männer sprachen ihr Mut zu: »Klasse! Das packst du, Kleine!« Akiko floh nach oben in ihr Zimmer, wo ein Gefühl von Abscheu gegenüber ihrer Mutter in ihr hochkam, ihrer Mutter, die den Stammgästen ständig Dinge weitererzählte, die eigentlich nur sie beide etwas angingen. Ständig erfuhren sie als Erstes, was ihre Mutter eigentlich erst einmal mit Akiko hätte besprechen sollen. Akiko machte sich oben in der Wohnung etwas zu essen. Da ihr die Lust vergangen war, täglich die Reste von unten vorgesetzt zu bekommen, hatte sie begonnen, sich ihre Mahlzeiten selbst zuzubereiten. Es machte ihr Spaß, anhand des Kochbuchs, das sie sich gekauft hatte, allerhand auszuprobieren. Als ihre Mutter vor Beginn der Abendschicht kurz den Kopf hereinstreckte, sagte Akiko ihr die Meinung: »Mama, ich habe noch nie etwas von einem Austauschjahr gesagt. Könntest du es bitte lassen, vor anderen solches Zeug zu reden?«

Ihre Mutter tat, als würde sie irgendetwas suchen, doch sie war eine grottenschlechte Schauspielerin: »Ach, das ... oh, äh, wo habe ich es denn nur hingelegt? Hier ist es nicht, hier auch nicht ...«, druckste sie herum und floh wieder ins Lokal.

In Zeiten, in denen man für einen US-Dollar 360 Yen hinblättern musste, konnte sich so gut wie niemand ein Austauschjahr leisten, es sei denn, man stammte aus einer wohlhabenden Familie oder man hatte einen ausgezeichneten Notendurchschnitt. Es machte Akiko rasend, wie ihre Mutter so großkotzig angab, im Wissen, dass Akiko nur die Tochter einer einfachen Ladenbesitzerin war. Als wollte sie ihre Prahlereien tatsächlich wahr werden lassen, fing ihre Mutter an, Akiko Ratschläge zu geben: »Englisch wird wichtig werden für dich, sollen wir dir einen Nachhilfelehrer besorgen?« oder »Such dir am besten eine Arbeit, mit der du ins Ausland gehen kannst!« oder »Gegenüber Leuten wie uns hat man ganz schöne Vorurteile, einen Job in der Finanzbranche kannst du dir gleich abschminken«.

Am Ende schrieb sich Akiko an der ihrer Oberschule angegliederten Frauenuniversität im Fach Japanische Literatur ein.

»Und nach deinem Abschluss wirst du als Lehrerin enden, oder wie? Du hättest dich wenigstens in Englischer Literatur einschreiben können …«

»Aber Lehrerin ist doch ein wundervoller Beruf! Hör bloß auf!«, entgegnete Akiko ihr wütend.

Daraufhin wurde ihre Mutter ungewohnt laut: »Das weiß ich auch! Ich arbeite, seit ich die Oberschule abgebrochen habe! Vielleicht habe ich keinen Abschluss, aber was in deinem Kopf vorgeht, verstehe ich sehr wohl, und zwar ganz genau!« Dieser Streit war wohl der Moment, ab dem sich Akiko und ihre Mutter wirklich auseinanderlebten. Akiko hatte schon früh gespürt, dass mit ihrer Familie etwas nicht stimmte, und sich als Kind angewöhnt, die Dinge zunächst einmal für sich zu behalten. Ihre Mutter mit ihrem gesprächigen Naturell scheute sich dagegen überhaupt nicht, alles in die Welt hinauszuposaunen. Vielleicht hatte Akiko auch aus diesem Grund bewusst Streitereien mit ihr gemieden.

Die Angewohnheit ihrer Mutter, bis in die Nacht hinein rauchend und trinkend mit ihren Stammgästen zu schäkern, änderte sich auch nicht, als Akiko ihr Studium begann. Als sie ihr einmal vorsichtig vorschlug, doch wenigstens eines von beidem, das Rauchen oder das Trinken, aufzugeben, lallte diese lachend: »Das habe ich ja versucht, Schätzchen, aber am Ende stehe ich immer wieder mit beidem in der Hand da, hahaha!« In den Augen der Stammgäste war ihre Mutter die rundliche, kecke Lokalinhaberin, mit der man immer gut auskam, Akiko hingegen bereitete ihre Mutter nichts als Kummer.

Auch wenn es um Jungen ging, war es mühsam mit ihr. Manchmal berichtete sie Akiko von Jungen aus ihrem Bekanntenkreis und drängte sie dazu, sich mit ihnen zu verabreden. Wenn ihr dann allerdings einer nicht gefiel, verbot sie Akiko sogleich, ihn weiterzutreffen. Auf dem Campus der Frauenuni, an der Akiko studierte, hielten sich ständig auch männliche Studenten auf, natürlich auf der Suche nach einer Freundin. Akiko wurde ein paar Mal angesprochen. Einer der Jungen brach den Kontakt mit ihr sogleich wieder ab, als er erfuhr, aus welchen Verhältnissen Akiko stammte. Doch andere störte das nicht und ein paar Mal besuchte sie sogar ein Junge im Lokal ihrer Mutter. Akiko stand auf hippe Jungs mit Jeans und langen Haaren. Das schien ihrer Mutter jedoch gar nicht zu passen. Sie beschwerte sich jedes Mal missmutig, nachdem Akikos Verabredungen wieder gegangen waren: »Wie schmuddelig, diese langen Haare ... Der sah ja aus wie von der Straße mit seiner verlotterten Hose.«

Akiko konnte nicht verstehen, wie ihre Mutter so über ihre Freunde reden konnte, die extra den Weg zu ihr nach Hause auf sich genommen hatten, und es kam abermals zum Streit. Am Ende sagte sich Akiko jedes Mal, dass ihre Mutter mit Blick auf ihren eigenen, glatzköpfigen Ex doch bestimmt bloß eifersüchtig gewesen war. Auch die strenge Regel, spätestens um sieben Uhr abends zu Hause zu sein, ignorierte Akiko inzwischen schamlos. Bis neun Uhr war das Lokal stets geöffnet, und vor den Augen der Gäste würde ihre Mutter sie nicht zurechtweisen. Da sie ohnehin erst lange nach Ladenschluss betrunken nach oben in die Wohnung kam, musste sich Akiko also keine Sorgen machen. Ihre Mutter bemerkte ihr Verhalten zwar und rümpfte immer wieder einmal die Nase, doch sie sagte nie etwas.

Nach dem Abschluss des Studiums fand Akiko eine Stelle in einem Verlag. Ihre Mutter, die noch nie ein Buch in der Hand gehabt hatte, wusste nicht recht, was sie sich unter dieser Art von Arbeit vorzustellen hatte. Ihre Frage, mit der sie die Bedeutung dieses Ereignisses einschätzen wollte, war: »Was ist schwieriger, in einen Verlag zu kommen oder bei einem TV-Sender genommen zu werden?«

Als ihr auch die Stammgäste bestätigten, dass beides in etwa gleich schwer war, wurde sie ganz stolz. Akiko hatte eigentlich vorgehabt, von zu Hause auszuziehen, sobald sie eine Stelle gefunden hatte. Doch da ihr Haus so günstig gelegen war, blieb sie und ließ tatenlos die Zeit verstreichen. An Abenden, an denen sie erst nach Mitternacht nach Hause kam, öffnete sie leise die Tür zum Hintereingang und schlich lautlos in ihr Zimmer im zweiten Stock. Dabei hörte sie unter sich das laute Schnarchen ihrer

Mutter, die wohl wie immer genüsslich ihren Rausch ausschlief. Zum einen beruhigte dies Akiko; gleichzeitig ließ es sie ernüchtert aufseufzen.

Mit einem der langhaarigen Jungen in Jeans war sie drei Jahre nach dem Studienabschluss noch immer zusammen. Mittlerweile hatte er sein Haar geschnitten und trug als Angestellter eines börsennotierten Unternehmens einen schicken Anzug. Ihn in dieser konventionellen Aufmachung zu sehen, ließ Akikos Gefühle für ihn nach und nach abkühlen. Damals, mit seinem lässig über die Schultern hängenden Haar und seinen zerschlissenen Jeans, hatte er so etwas Rebellisches, Leuchtendes an sich gehabt. Wo war dieses Leuchten geblieben? Als Student hatte er sich leidenschaftlich gegen Missstände aufgelehnt und für eine bessere Welt eingesetzt, doch mittlerweile redete er nur noch über seine Karriere und über Aktien, und Akiko spürte, wie ihre Wertvorstellungen immer mehr auseinanderdrifteten. Er jedoch träumte davon, Akiko zu heiraten, und wünschte sich, dass sie ihre Stelle kündigte und Hausfrau wurde. Dass Akiko zögerte, weil sie doch gerade ihre ersten Erfahrungen als Lektorin gemacht hatte, verstand er nicht.

»Als Frau wirst du ohnehin keine Karriere machen.«

»Das stimmt nicht!«, widersprach Akiko. »Ich betreue bereits mehrere Autoren und trage die Verantwortung für ihre Bücher.«

Da lachte ihr Freund höhnisch und fragte: »Wie lange willst du denn arbeiten? Spätestens nach der Geburt der Kinder wirst du doch sowieso aufhören, warum dann nicht gleich? Oder willst du etwa bis zur Rente im Verlag schuften und als einsame, alte Frau sterben?«

Akiko war enttäuscht. Dieser Mann mochte zwar sein Studium mit Spitzennoten abgeschlossen haben, doch schien er nichts im Kopf zu haben. Ihre Arbeitskollegen hatten eine ganz andere Einstellung. Im Verlag arbeiteten viele verheiratete Frauen mit Kindern und es gingen Gerüchte um, dass einige Mitarbeiterinnen ihre Kinder allein großzogen. Ihre Vorgesetzten kümmerten sich nicht um das Geschlecht der Angestellten, ihnen war ausschließlich wichtig, gute Bücher zu verlegen. Wie oft war Akiko gescholten worden und musste mit den Tränen kämpfen. Aber das bedeutete doch, dass man sie als Teil des Verlags ernst nahm, und sie gab stets ihr Bestes, aus den Fehlern zu lernen. Nein, Akiko konnte sich ein Leben als Hausfrau an der Seite ihres Freunds nicht mehr vorstellen. Sie entschloss sich, die Beziehung zu beenden, und bat ihn um ein Treffen in einem Café in der Nähe seiner Firma. Einen Augenblick lang machte er zwar ein langes Gesicht, als sie es ihm sagte, fasste sich aber schnell und grinste spöttisch.

»Ts ... So ein Zufall! Ich wollte dir heute genau dasselbe sagen.«

Akiko erschrak ein wenig, da er sich nie etwas hatte anmerken lassen.

»Na ja, bei deinem schwierigen Elternhaus ...«, begann er sich zu erklären und fuhr plötzlich etwas zaghafter fort: »Meine Eltern waren immer dagegen, dass ich jemanden aus einer solchen Familie heirate.«

Akiko war klar, dass er gerade mit irgendwelchen Vernünfteleien versuchte, seinen verletzten Stolz zu bewahren.

Sie seufzte leicht. »Ach so? Na, da kann man wohl nichts machen«, sagte sie. »Mach's gut, ja? Danke für alles«, und stand auf. Sie hatte ihn danach nie mehr wiedergesehen. Auf dem Rückweg zum Verlag schwor sie sich, für eine Weile die Finger von Männern zu lassen.

Akikos aktuelles Projekt war ein Buch der Inhaberin einer Kochschule. Inspiriert von den schönen Rezepten band sie sich oft selbst die Schürze um. Es sollte ein anschauliches und für jedermann verständliches Buch werden.

»In der Kochkunst wird nicht mit Stunden oder Minuten gemessen. Auch Ess- und Teelöffel sind nur Richtlinien. Mit den Augen beobachten, mit den Ohren lauschen, mit der Nase riechen … Wir kochen mit allen fünf Sinnen. Hat man die Zutaten einmal vor sich liegen, muss man sich gut überlegen, in welche Richtung man damit gehen will. Mal ein bisschen dorthin und dann doch wieder da lang – so wird das nichts«, erklärte ihr die Autorin und Kochmeisterin.

Beeindruckt beobachtete Akiko, die ihrer Mutter beim Kochen nie wirklich über die Schulter geschaut hatte, wie die zierlichen Hände der Meisterköchin ein Gericht nach dem anderen zauberten. Und sie war erstaunt, als das Gericht, das sie später mit genau denselben Zutaten selbst zubereitete, sich geschmacklich vollkommen von dem der Meisterköchin unterschied. Mit einfachen Worten und Gesten erklärte ihr diese etwa, dass man das Kombu-Blatt der Dashi-Brühe immer vor dem Sieden herausnehmen sollte, dann, wenn die Wasseroberfläche im Topf leicht zu zittern begann. Akiko notierte sich jedes Detail und vergaß nicht, die Gespräche vorsichtshalber mit ihrem Kassettenrekorder aufzunehmen. Fasziniert und erfüllt gab sie sich jetzt neben dem Lektorat im Verlag auch der Kunst des Kochens hin, welche sie ebenso in ihren Bann zog. Das Kochbuch war ein Erfolg, und so arbeitete Akiko auch für den zweiten und dritten Band weiterhin mit der Kochmeisterin zusammen. Ihrer Mutter beim Kochen auszuhelfen, konnte sie sich dennoch nicht vorstellen.

»Sie haben ein gutes Gespür für das Kochen«, lobte sie die Gourmetköchin. »Ein feines Gespür, ein guter Geschmack – das ist auch in der Kochkunst unentbehrlich. Die Erinnerung an den Geschmack von Mutters Küche spielt bestimmt eine wichtige Rolle, aber professionell zu kochen, darf nie einfach nur eine Erweiterung davon sein. Dazwischen steht eine hohe Mauer ...« Ihre Worte motivierten Akiko.

Im Verlag war Akiko inzwischen zur stellvertretenden Lektoratsleitung avanciert und hatte nun einige ihr unterstellte Mitarbeiter. Mit ihnen empfing und traf sie Autoren und Geschäftspartnerinnen; gerade in ihrer Position musste sie an vielen Zusammenkünften auch persönlich teilnehmen. Auf diese Art lernte sie eine Menge Restaurants und Lokale der Stadt kennen: japanische Küche, darunter auch traditionelle Kaiseki-Gerichte nach Kyōto Art, chinesische Küche, italienische Küche sowie Kochkünste diversester Kulturen – erst jetzt wurde ihr die immense Vielfalt der Tokyoter Restaurantszene bewusst. Bei einigen, die zwar einen hervorragenden Ruf hatten, ließ das Essen durchaus zu wünschen übrig, während die Gerichte völlig unbekannter Restaurants zum Teil ein wahres Geschmackserlebnis waren. Akiko wurde klar, dass sie gerade dabei war, ihren Gaumen zu schulen, und musste an die Worte der Meisterin zurückdenken.

Waren die Gerichte in »Kayos Küche« nicht bloß eine Erweiterung des guten alten Geschmacks von damals? Bestimmt hatte das Lokal einen gewissen Reiz, sonst hätte es sich nicht so viele Jahre über Wasser gehalten. Doch es waren hauptsächlich Stammgäste, die zum Essen kamen. Die Gerichte dienten dazu, den Bauch zu füllen, im Vordergrund stand das gemeinsame Plaudern und Trinken. Akiko wunderte sich, wie und ob sich ihre Mutter, die wohl noch nie durch ein Kochbuch geblättert hatte – geschweige denn jemals in anderen Restaurants essen gegangen war –, sich als Köchin überhaupt hatte weiterentwickeln können.

Ihre Mutter mochte es nicht, wenn Akiko für sich kochte: »Du könntest doch auch mal einfach essen, was ich dir auf den Tisch stelle.«

Nachdem sie ihrer Tochter mit kritischem Blick auf die Finger gesehen hatte, meinte sie oft übel gelaunt: »Das kannst du ja nicht essen, mit dem bisschen Salz …« Oder sie spähte in den Topf auf dem Herd und kommentierte: »Kōya-Tofu braucht mehr Zucker, sonst schmeckt er nicht.«

Akiko ging meistens nicht auf ihre Bemerkungen ein, sondern kochte schweigend weiter, und wenn sie am Ende probierte, murmelte sie zufrieden ein »Mmh, lecker …« vor sich hin, ohne sich dabei zu sehr selbst loben zu wollen. Ja, was sie zubereitete, schmeckte ihr besser als die Gerichte ihrer Mutter, die viel zu stark gewürzt waren. Die Tendenz, alles zu versalzen, war bei ihr mit dem Alter immer schlimmer geworden. Diese intensiv salzig-süße Würze mochte vielleicht dem traditionellen Geschmack Tokyos entsprechen, doch Akiko wurde sich bewusst, dass sie genau diesen nicht mehr mochte.

Ihre Mutter jedoch hatte andere Sorgen und fragte bei jeder Gelegenheit, ob es denn da nicht jemanden gäbe in ihrem Leben. Wenn Akiko sich nicht bald umsähe, wäre bald keiner mehr übrig, der sie heiraten würde. Müßig ließ Akiko ihr Drängeln über sich ergehen und fand, dass jemand, der eine Affäre mit einem Mönch gehabt hatte, eigentlich nicht so besserwisserisch tun sollte. Auch die Verkuppelungsversuche der Stammgäste ließ Akiko an sich abprallen. Mit Leib und Seele widmete sie sich ihrer Arbeit im Verlag – und noch ehe sie sichs versah, war sie fünfundvierzig geworden. Oft kam Reue in ihr auf, dass sie es nicht wenigstens geschafft hatte, von zu Hause auszuziehen. Ihre Mutter schüttelte nur noch entsetzt den Kopf. »Akiko, fünfundvierzig ... nun ist wirklich alles zu spät.«

Die Stammgäste hatten es inzwischen wohl offenbar auch aufgegeben, jedenfalls sprach keiner mehr übers Heiraten.

Akikos Mutter war mittlerweile fünfundsechzig. Schon seit einigen Jahren hatte sie Aushilfen angestellt, wobei die meisten sofort wieder aufhörten. »Wenn du einmal etwas am Geschmack aussetzt, versuchen sie's nicht besser zu machen, sondern laufen dir davon. Stellst du eine Hausfrau in Teilzeit an, fällt sie ständig aus, wegen der Schule der Kinder, ihrem Hobby oder weiß ich was sonst ... Die jungen Leute von heute – kannst du dir alle abschminken!« Ihre Mutter zündete sich eine Zigarette an und blies dann langsam den Rauch aus. Zu diesem Zeitpunkt half ihr eine verschwiegene Frau Ende fünfzig aus.

Akiko fand nicht, dass es ihr zustand, sich in die geschäftlichen Angelegenheiten ihrer Mutter einzumischen, und hörte ihrem Gemecker stets schweigend zu. Es schien, als würde es noch ewig so weitergehen, doch zwei Jahre später fand ihr gemeinsames Leben ein jähes Ende.

Eines Abends nach Ladenschluss sackte ihre Mutter beim Plaudern mit ihren Stammgästen plötzlich zusammen. Sie war auf der Stelle tot. Akiko, die noch im Verlag gewesen war, eilte sofort zum Krankenhaus, in das man ihre Mutter gebracht hatte – doch sie kam zu spät. Mit betrübten Gesichtern kamen ihr die paar treuen Stammgäste auf dem Flur des Krankenhauses entgegen.

»Aki-chan, es ist so traurig«, sagten sie ihr unter Tränen. Akiko bedankte sich bei ihnen, dass sie ihre Mutter hergebracht hatten.

»Warum ist das passiert, warum ...«, schluchzten sie.

»Wenn du Hilfe brauchst oder irgendetwas ist, sag uns Bescheid, ja?«, meinten sie, bevor sie sich verabschiedeten.

Sieh, bis zum Schluss warst du von so lieben Freunden umgeben, Mama, flüsterte Akiko anschließend ihrer Mutter zu, die ihre Augen nun nie mehr öffnen würde. Da Akikos Mutter mit ihrer jüngeren Schwester, der einzigen Verwandten, kein gutes Verhältnis hatte und Akiko weder ihre Telefonnummer noch ihre Adresse kannte, nahmen an der Beerdigung lediglich ein paar Stammgäste, einige Ladeninhaber aus der Einkaufsstraße und ein paar von Akikos Freunden teil.

»Kayos Küche« blieb danach bis auf Weiteres geschlossen. Unter vielen Entschuldigungen und mit einer kleinen Entschädigungssumme kündigte Akiko der Küchenhilfe. Die Stammgäste wollten wissen, wie es nun weiterging, doch es war alles so plötzlich geschehen, dass Akiko noch keinen klaren Gedanken fassen konnte. Ein Testament hatte ihre Mutter ihr nicht hinterlassen. Da das Erbe aber irgendwie geregelt werden musste, durchsuchte Akiko die mit Klamotten und Handtaschen vollgestopften Fächer des Wandschranks und der Kommode, um zu sehen, ob sich darin irgendetwas finden ließ. Tatsächlich entdeckte sie, gut versteckt in einem Stapel langärmliger Unterhemden, drei Sparbücher. Eines war für das Lokal, eines war unter dem Namen ihrer Mutter geführt und auf dem dritten stand Akikos Name. Auch dort fand Akiko regelmäßige Einträge, die letzten Beträge waren erst vor Kurzem eingezahlt worden. Ihre Mutter musste also immer wieder Geld eingezahlt haben, sobald sie ein wenig auf die Seite hatte legen können. Der überaus hohe Saldobetrag ließ Akiko dennoch stocken. Da fand sie, eingeklemmt in dem Plastikumschlag des Büchleins, eine kleine Notiz in einer Schrift, die ihr irgendwie bekannt vorkam.

»Für Akiko von Papa«, stand da.

Akiko hatte nichts von diesem Sparbuch gewusst! Das war also die Schrift ihres Vaters? Sie starrte auf den Zettel. Ein Sparbuch, das ihr Vater ihrer Mutter für Akiko mitgegeben hatte ... Ihre Mutter musste es all die Jahre weitergeführt und regelmäßig kleine Summen hinzugezahlt haben.

»Hättest du mir doch etwas gesagt ...« Seufzend verstaute Akiko die drei Sparbücher in der kleinen Schublade der Kommode. Die wichtigsten Formalitäten, wie die Sterbeanzeige bei der Gemeinde, hatte Akiko erledigt, doch zu vielem anderen war sie noch nicht gekommen. Das Abarbeiten der Berge an Aufgaben auf ihrem Pult im Verlag schien ihr dringlicher.

Den heruntergelassenen Rollladen des Lokals hatte jemand mit unentzifferbaren schwarzen Zeichen besprayt, und in der Firma riefen nun, unerklärlich, woher sie die Information hatten, regelmäßig irgendwelche Makler an und fragten sie, ob sie nicht interessiert wäre, das Haus zu verkaufen oder wenigstens zu vermieten. Wie leid es Akiko war, in ihrer wichtigen Arbeit gestört zu werden, um über große Summen von Geld nachzudenken.

Eines Tages, als sie vor dem Lokal den Boden etwas sauber wischte, kam die Inhaberin der gegenüberliegenden Kaffeestube auf sie zu, die man in der Einkaufsstraße liebevoll Madame nannte. Sie beklagte sich: »Diese heruntergelassenen Rollladen machen mich richtig trübsinnig. Ich versteh ja schon, dass du keine Zeit hast mit deiner Arbeit, aber ... willst du nicht langsam einen Nachmieter suchen?«

Nicht selten waren die Gäste, nachdem sie in »Kayos Küche« gespeist hatten, noch gegenüber in der Kaffeestube eingekehrt. Die Schließung des Ladens bekam also bestimmt auch diese Inhaberin zu spüren. Im Verlag konnte Akiko die Sache mit dem Lokal völlig ausblenden. Doch wenn sie spätabends durch die Einkaufsstraße nach Hause schlenderte, kreisten ihre Gedanken darum, wie es mit dem Lokal weitergehen sollte. Das Einfachste wäre, es zu vermieten. Doch es graute ihr jetzt schon vor den Telefonaten mit den aufdringlichen Maklerfirmen. Und sollten ihr die Mieter einmal Probleme bereiten, würden die anderen Läden der Einkaufsstraße ihretwegen in Mitleidenschaft gezogen werden. Gerade neulich erst hatte der Sohn des Fischhändlers, der sich in der gleichen Lage wie Akiko befand, den Laden seines Vaters renoviert, in zwei Ladenflächen unterteilt und an ein Game-Center und einen Izakaya vermietet. Jetzt war er das Problemthema der Nachbarschaft, da nun bis spätnachts betrunkene Jugendliche auf der Straße herumjohlten und alles verdreckten.

In dieser Zeit wurde im Verlag ein neues Buchprojekt mit der Kochmeisterin bewilligt, mit der Akiko damals so gerne zusammengearbeitet hatte. Statt eines Kochbuchs hatte sie die Gourmetköchin, welche inzwischen Vorstandsvorsitzende einer Kochschule war, gebeten, eine Autobiografie über ihr Leben zu schreiben. Lange Jahre hatten Akiko und sie sich Sommer- und Neujahrsgrüße geschickt, sich aber nie gesehen. Als Akiko sie nach so langer Zeit wiedertraf, war sie zutiefst beeindruckt von der reinen, fast göttlichen Ausstrahlung der Kochmeisterin mit ihrem gepflegt nach hinten gekämmten weißen Haar und dem kaum merklich geschminkten Gesicht. Nachdem sie sich über die wichtigsten Punkte des Projekts geeinigt hatten und bei einem Tee noch etwas miteinander plauderten, erzählte ihr Akiko spontan von ihrer Situation und fragte sie um Rat. Da sie ihr früher nie vom Restaurant ihrer Mutter erzählt hatte, schien die Meisterin zunächst etwas überrascht, doch sie hörte ihr aufmerksam zu. Dann fragte die ältere Frau sie plötzlich:

»Warum führen nicht Sie das Lokal weiter?« Sie lächelte sanft. Akiko liebte es zu kochen, doch auf diese Idee war sie bislang noch nie gekommen.

»Aber ... ich bin ja ein absoluter Laie, und ein Kochdiplom habe ich auch nicht.«

»Am Anfang ist jeder ein Laie. Und für das Diplom können Sie jetzt gleich mit dem Lernen beginnen«, meinte die Meisterin, wählte vor Akikos Augen die interne Nummer zu ihrer Sekretärin und ließ ihr die Broschüre mit den Anforderungen für die Ausbildung bringen.

»Sie haben eine fantastische Stelle, und ich will ihnen mitnichten hineinreden. Aber ich habe schon immer gespürt, dass Sie einen feinen Sinn für das Kochen haben und dem Essen eine große Wertschätzung entgegenbringen. In der heutigen Welt gibt es viel zu viele Menschen, die es nicht kümmert, was sie zu sich nehmen. Das ist sehr bedauerlich.«

Im Zug auf der Rückfahrt brummte Akiko der Kopf. Erstens, weil die Meisterin dem Buchprojekt zugestimmt hatte, und zweitens, weil sie ihr vorgeschlagen hatte, das Lokal ihrer Mutter selbst weiterzuführen.

Ich? Ich ein Restaurant führen?

Am Abend zu Hause warf sie sich aufs Bett und überflog die Broschüre, die ihr die Kochmeisterin mitgegeben hatte. War diese Ausbildung nicht hauptsächlich für achtzehnjährige Leute am Anfang ihrer beruflichen Laufbahn gedacht? Akiko hatte ihren festen Beruf, und was die Gourmetköchin ihr heute gesagt hatte, war ja nett gemeint, doch Akiko fühlte, dass das wohl nichts für sie war.

Etwa einen Monat später führte der Verlag die jährliche personelle Umstrukturierung durch. Akiko, die schon über zwanzig Jahre im Lektorat hinter sich hatte, erschrak, als sie ihren Bescheid vor Augen hatte. Sah sie richtig, dass man sie in die Vertriebsabteilung versetzen wollte? Die Begründung ihres Vorgesetzten bestand nur aus leeren Worten. Er erinnerte sie an ihren Rang in der Firma und betonte, sie würden ihr Gehalt auf das eines stellvertretenden Abteilungsleiters erhöhen, ob sie sich denn nicht darüber freute. Zu guter Letzt fügte er augenzwinkernd an: »He, du bist klasse im Abakus-Rechnen, das passt doch gut!« Sehr witzig, dachte Akiko. Welche Firma arbeitete denn heute noch mit Rechentafeln? Sie war damals in den Verlag gekommen, weil sie Bücher liebte. Die Vorstellung, nicht mehr an der inhaltlichen Arbeit der Bücher mitzuwirken, war bitter. Nein, sie konnte sich doch nicht einfach höflich kopfnickend irgendwohin versetzen lassen, wo es der Firma gerade so passte.

Zutiefst enttäuscht ging sie abends nach Hause und ließ in der Badewanne sitzend ihre Gedanken schweifen. In ihrem Alter ging die Chance, später noch einmal im Lektorat arbeiten zu können, wohl so gut wie gegen null. Auf der anderen Seite wäre ihre Rente gesichert, bliebe sie bis zur Pensionierung im Verlag. Als sie verzweifelt die Augen schloss, sah sie das Gesicht der Direktorin der Kochschule vor sich. War das Gespräch mit ihr etwa ein Vorzeichen gewesen? Das engelhafte Gesicht der Meisterköchin kam Akiko in ihrer Erinnerung auf einmal vor wie das einer Prophetin. Schlaflos kuschelte sie sich später in ihre Decke.

Als sie am nächsten Morgen die Vorhänge öffnete, lachte ihr vom Fenster ein strahlend blauer Himmel entgegen, und Akiko fasste ihren Entschluss: Sie würde beim Verlag kündigen.

Am Telefon meinte die Gourmetköchin, die sie anrief, um ihr die Lage zu schildern, dass für sie keine andere Lektorin als Akiko infrage komme und sie deshalb den Vertrag wieder auflösen würde. Mit spürbarer Freude in der Stimme sagte sie, dass sie nun vor allem gespannt sei, wie es bei Akiko weiterginge.

Nachdem sie den Verlag verlassen hatte, schrieb sich Akiko für die Kochausbildung ein und besuchte mit Mitschülern, die alle gerade etwa halb so alt waren wie sie, den einjährigen Kurs. Auch die Prüfung bestand sie erfolgreich. Wenn sie auf dem Weg nach Hause ehemaligen Stammgästen ihrer Mutter begegnete, fragten sie jedes Mal, was denn nun aus dem Lokal werden würde. Doch Akiko wich ihnen geschickt aus. An der Diplomfeier hatte die Meisterin ihr fest beide Hände gedrückt. »Wenn irgendetwas ist, rufen Sie mich an, ja?«, hatte sie ihr Mut gemacht, woraufhin sich Akikos Augen mit Tränen gefüllt hatten.

Als sich Akiko ausreichend vorbereitet fühlte, nahm sie den Umbau des Lokals in Angriff. Sie wollte den durch und durch im Retro-Stil gestalteten Laden ihrer Mutter nicht einfach so weiterführen. Die ockergrünen, sandig verputzten Wände und die für die Zeit charakteristisch gemaserten Querbalken, der ganze Dekor mit großen Shōgi-Figuren, Fächern, indigogefärbten Tüchern und Kokeshi-Holzpuppen, das alles musste weg. Und so leid es ihr für die Stammgäste von »Kayos Küche« auch tat, hatte sie nicht vor, nach Ladenschluss weiterhin irgendwelche Trinkgelage zu veranstalten.

Ich werde meinen eigenen Laden führen, entschloss sich Akiko fest. Die Stammgäste, die das Lokal seit so langer Zeit wieder mit hochgezogenem Rollladen vorfanden, waren völlig aus dem Häuschen und überhäuften Akiko mit tausend Fragen. Was hast du denn vor? Kommt hier etwas Neues rein? Doch Akiko antwortete ihnen höflich, dass sie Einladungen verschicken werde, wenn alles fertig sei. Zu Beginn der Sanierungsarbeiten suchte Akiko zur Begrüßung den Handy-Laden von nebenan auf, der den Platz vor dem geschlossenen Rollladen von »Kayos Küche« hemmungslos zur Mülllagerung verwendet hatte. Doch der junge Filialleiter rümpfte uninteressiert die Nase. Auch die Madame der Kaffeestube gegenüber bemerkte nur schnippisch, dass es schon nicht sehr angenehm sei, wenn einem der ganze Baustellenstaub in den Laden stiebe. Akiko wurde bewusst, dass es keine leichte Aufgabe war, in einer Einkaufsstraße ein neues Geschäft zu eröffnen.

Akiko suchte die Kochmeisterin auf, um sie bezüglich der Menükarte um Rat zu fragen. Nachdem sie sich für das Grundkonzept entschieden hatte, begann sie, einige Gerichte auszuprobieren, und merkte, dass die größte Schwierigkeit in der richtigen Würze lag.

»Das Wesentliche der professionellen Küche«, so erklärte ihr die Meisterin, »ist Salz. Selbstverständlich Natursalz. Sushi-Restaurants der Spitzenklasse benutzen für ihren Sushi-Essig sogar erstaunlich viel davon. Es kommt auf die richtige Menge an. Aber wie dem auch sei. Deine

Gerichte schmecken gut, Akiko. Du kannst deinem eigenen Urteil vertrauen.«

Ein wenig beruhigt durch diese Worte begann Akiko ihr Menü sodann konkret zusammenzustellen, keine besonders ausgefallenen Gerichte, im Gegenteil. Auf Akikos einfache Menükarte kamen nahrhafte große Sandwiches, ein paar Salate und eine Auswahl an Suppen. Für die Innenausstattung des Cafès hatte Akiko die Wände weiß streichen und mit kieseligem Diatomeenschlamm, der feuchtigkeitsregulierend und geruchsabweisend war, beschichten lassen; an ein paar Stellen im Raum ragten schlichte weiße Pfeiler bis zur Decke. Ein Raum wie der Speisesaal eines Klosters ... malte sie sich ihr zukünftiges Café beim Entwerfen aus. Sie entsorgte die Resopal-Tische und -Stühle ihrer Mutter sowie das ganze altertümlich gemusterte Geschirr und stellte drei große Holztische mit je vier besonders designten Stühlen in den Raum. Für den Fall, dass einmal richtig viele Gäste kämen, gäbe es genügend Platz für weitere Stühle. Das Geschirr ihrer Mutter ersetzte sie durch Teller und Schüsseln in warmem Beige oder Milchweiß und ließ den Raum außer mit ein paar Ikebana-Blumen absichtlich ungeschmückt.

Dann war es so weit. Ihr einfaches und schlichtes neues Café war nun fertig eingerichtet und sah genauso aus, wie sie es sich vorgestellt hatte. Als die Holztische einmal standen, spürte Akiko, wie eine große Ruhe den Raum erfüllte. Wenn sie da und dort noch ein Blümchen hinstellte, würden die Gegensätze der Lebendigkeit und der Ruhe einander wunderschön hervorheben. Natürlich hatte Akiko auch ihre Zweifel und Ängste, doch je mehr das, was sie sich im Kopf ausgemalt hatte, Wirklichkeit wurde, desto stärker spürte sie in ihrer Brust eine Wärme, die sie aus ihrem tiefsten Inneren heraus ruhig und zufrieden werden ließ. Doch Essen zu verkaufen, das Menschen zu sich nahmen, brachte eine riesige Verantwortung mit sich. Konnte sie diese auch wirklich stemmen? So verbrachte Akiko die Tage bis zur Eröffnung des Cafés in einem Wechselbad von Bangen und Vorfreude.

2

Shima-chan, ihre Küchenhilfe, fand zu ihr, nachdem die Job-Anzeige gerade einmal einen Tag am Rollladen des Cafés gehangen hatte: »Aushilfskraft (w) gesucht!«

Innerhalb kürzester Zeit hatte Akiko zwanzig Bewerbungstermine vereinbaren können. Bestimmt lag es auch an der aktuell nicht gerade rosigen Wirtschaftslage, dennoch überraschte sie das rege Interesse. Unter den Bewerbern waren, obwohl sie den Job ausdrücklich für eine weibliche Person ausgeschrieben hatte, auch mehrere zwanzig-, dreißig- oder gar sechzigjährige Männer, die sie inständig darum baten, doch bitte eine Ausnahme zu machen. Aber Akiko sagte allen höflich ab. Andere riefen an und sagten, eine Freundin habe ihnen ein Foto der Anzeige geschickt. Eigentlich hatte sich Akiko vorgestellt, dass die Leute, mit denen sie zu tun haben würde, die Anzeige zumindest persönlich bei ihr gesehen haben würden, doch wie es schien, verbreiteten sich solche Sachen heute im Nu. Nur: »Leider muss ich Ihnen absagen, weil Sie meine Anzeige nicht mit eigenen Augen gesehen haben«, konnte sie ihnen schlecht antworten. Am Ende lud sie auch diese Bewerberinnen zu einem Vorstellungsgespräch im alten Café gegenüber ein. Die Madame war Akiko gegenüber bislang nicht gerade freundlich gestimmt gewesen, doch während der Bewerbungsgespräche spitzte sie neugierig die Ohren. Auch war ihre Laune heute ein wenig besser als sonst, da Akiko für jede Bewerberin ein Getränk bestellte. Nach den zwanzig Gesprächen mit Frauen der verschiedensten Altersgruppen staunte Akiko einmal mehr, wie unterschiedlich Menschen sein konnten ... Da waren solche, die Akiko ihren Lebenslauf unter die Nase schoben und stolz jede einzelne brillante Leistung daraus herunterleierten; andere, die in den höchsten Tönen ihre eigenen Kochkünste lobten; wieder andere, die selbstsicher behaupteten, dass sie sich im Umgang mit Gästen auskannten. Einige erklärten sogar, dass sie später einmal Food-Stylistin oder Kulinarik-Expertin werden wollten. Eine der Bewerberinnen, eine Frau in den Vierzigern, brachte Akiko eine selbstgemachte Sahnetorte mit.

»Ich bekomme immer wieder gesagt, wie gut sie schmeckt!«, erklärte sie selbstsicher.

Akiko musste sie enttäuschen:

»Ich habe leider nicht vor, in meinem Café Kuchen anzubieten ...«

Als sie sich anstandshalber dennoch Gabel und Teller vom Café auslieh, um ein Stück zu kosten, stellte sie fest, dass der Biskuit – wahrscheinlich hatte die Frau den Teig zu kräftig gerührt – enorm zäh war. Auch die mächtig aufgetragene Sahne hinterließ ein kaum mehr wegzubringendes pampig-klebriges Gefühl im Mund. Da die Erdbeeren auf der Torte zum Teil schon faul waren, ließ auch der Anblick zu wünschen übrig.

»Und? Was sagen Sie?«, fragte die Dame erwartungsvoll. Als Akiko ihre ehrliche Meinung sagte, rümpfte sie beleidigt die Nase.

»Mein Mann ist ein einfacher Büroangestellter. Wir können uns keine teuren Zutaten leisten, das ist alles, was ich hervorzaubern konnte – und ich finde, ich habe es nicht schlecht gemacht!«, schnaubte sie unwirsch. Akiko sagte nichts mehr dazu, lenkte die Unterhaltung auf andere Themen und beendete das Vorstellungsgespräch, so rasch sie konnte.

Die Lebensläufe der Bewerberinnen hatte sich Akiko nicht angesehen. Sie wusste, dass ein Papier im Grunde nicht das Entscheidende war. Im Verlag hatten sie sich bei der Einstellung neuer Mitarbeiter natürlich auf deren Lebensläufe und Bewerbungsformulare berufen, doch wie Akiko später oft erkannte, waren brillante Noten bei Weitem keine Garantie, dass die Bewerber auch gute Mitarbeiter wurden. Klar, jeder Mensch hatte seine Stärken und Schwächen, und es war die Aufgabe eines Unternehmens, seine Angestellten bestmöglich einzusetzen. Oft ging es zunächst einmal aber gar nicht um Fähigkeiten, sondern eher um die innere Haltung der Angestellten: Angestellte, denen das Lügen allzu leichtfiel, Angestellte, die andere mit ihren Sorgen ständig von der Arbeit abhielten, solche, die unaufhörlich auf ihre Rechte hinwiesen, aber kaum Resultate erbrachten, wiederum andere, die bei ihnen unterstellten Mitarbeitern ständig dick auftrugen, vor ihren Vorgesetzten aber heuchelnd schmeichlerisch die Hände aneinanderrieben – wie oft hatte Akiko auch bei Mitarbeitern mit dem besten Notendurchschnitt einfach nur noch seufzen können.

Deshalb nahm sie sich vor, bei den Vorstellungsgesprächen für ihr eigenes Café ihrem Bauchgefühl zu vertrauen. Ihre Bewerberinnen brachten fast alle einen von Leistungen strotzenden ausgedruckten Lebenslauf mit und fragten meistens gleich als Erstes nach dem Stundenlohn.

Außer einer Bewerberin. Shima-chan stand plötzlich, fast geräuschlos, vor der Tür. Sie war mit ihren 1,60 m größer als Akiko, hatte gesunde, strahlende Haut, einen Kurzhaarschnitt, breite Schultern und war ziemlich kräftig gebaut. Als sie Akiko an einem der Tische erblickte, hastete sie mit großen Schritten auf sie zu.

»Ich …«, begann sie, nachdem sie sich mit Namen vorgestellt hatte, »… war so in Eile und habe meinen Lebenslauf zu Hause vergessen. Wäre es in Ordnung, wenn ich mir im Kombini eine Vorlage hole und ihn hier kurz schreibe?«

»Ich brauche Ihren Lebenslauf nicht, ist schon in Ordnung.« Shima-chan blickte Akiko zunächst etwas überrascht an, doch sie verbeugte sich dann sogleich. »Es tut mir sehr leid.« Ihre gerade, bestimmte Verbeugung gefiel Akiko. Irgendwie kam ihr die junge Frau bekannt vor, und als sie eine Weile überlegte, kam sie darauf, dass Shima-chan der Golferin Yūri Fudō ähnelte. Wie sie hatte Shima-chan nichts Kokettes, Mädchenhaftes an sich, sondern verströmte eher die Aura eines stummen, kleinen Jizō-Mönchs. Im Vorstellungsgespräch machte Shima-chan keine Anstalten, ihre Stärken hervorzuheben, und nannte auf die Frage nach ihrer Motivation für den Job nun einen simplen Grund: »Ich brauche einen Job, um Geld zu verdienen.« Sie erzählte, dass sie auch einmal im »Kayos Kitchen« gewesen war. Vor einer Woche habe der Kombini, in dem sie gejobbt hatte, dichtgemacht, und sie habe gehen müssen. Als sie durch die Einkaufsstraße spazierend darüber nachdachte, wo sie sich bewerben könnte, hatte sie Akikos Anzeige gesehen.

»Dann wohnen Sie also in der Nähe?«

»Ja. Nur etwa fünfzehn Minuten von hier. Gleich am Park hinter dem Supermarkt, der Park mit dem großen Ginkgo-Baum.«

»Ach dort, ja, ich erinnere mich, da standen früher doch zwei große Wohnblöcke.«

»Ja, den einen haben sie neulich renoviert, da sind jetzt teure Wohnungen drin. Aber mein Block ist immer noch alt und wacklig.«

»Wie? Die haben gar nichts renoviert?«

Shima-chan nickte. »Die Vermieterin meinte, die Wohnungen seien schon über vierzig Jahre alt.«

Als Akiko sich darüber wunderte, dass in dieser Gegend gerade wie wild abgerissen und neu gebaut wurde, erzählte Shima-chan, dass ihre über achtzigjährige Vermieterin die Maklerfirmen, die ihr den Umbau schmackhaft machen wollten, nicht mochte, was sie Shima-chan anscheinend bei jedem Treffen mit zusammengeballten Fäusten erklärte: »Diese Halsabschneider wollen uns bestimmt nur reinlegen!«

Shima-chans Vater und ihr älterer Bruder waren Fischer, ihre Mutter half beim Verkauf auf dem Hafenmarkt.

»Also, Fische filetieren kann ich gut«, sagte sie. Akiko war entzückt, diese Fähigkeit war heute bei jungen Leuten überhaupt nicht mehr selbstverständlich. Shima-chan war in der Grundschule im Baseballteam gewesen, in der Mittel- und Oberschule spielte sie Softball. Sie war Pitcher.

»Ach, deshalb haben Sie so kräftige Arme!«, lobte Akiko sie.

»Na ja, den Körperbau habe ich wohl von meinem Vater geerbt. Und weil ich einen guten Wurf draufhatte, hat mir meine Klassenlehrerin in der Mittelschule vorgeschlagen, es mal als Pitcher zu versuchen.«

In die weiterführende Oberschule war Shima-chan aufgrund ihrer starken Sportleistungen empfohlen worden, für die sie in der Mittelschule auch richtig berühmt gewesen war, doch das Softballteam dieser Oberschule war so stark, dass Shima-chan von da an nur noch auf der Ersatzbank saß und froh war, wenn sie überhaupt einmal eingewechselt wurde.

»Ich war eher so was wie eine Trainingshilfe für die Batter. Ich habe kein einziges Mal ein richtiges Match gespielt.«

Da sie auch kein Angebot erhalten hatte, in ein professionelles Team aufzusteigen, hatte sie sich nach dem Schulabschluss eine Stelle in ihrem Dorf gesucht. Irgendwann war es dort aber zwischenmenschlich schwierig geworden, und sie war nach Tokyo gezogen, wo sie sich seit fünf Jahren mit Gelegenheitsjobs durchschlug.

»Das muss schwer sein, seinen Unterhalt nur mit Jobs zu verdienen, ganz ohne Zulagen ...«

Shima-chan zuckte mit den Schultern und sagte lächelnd, aber keineswegs selbstspöttisch: »Ich bin zufrieden, wenn ich irgendwie durchkomme. Zum Glück ist meine Miete überschaubar. Und wenn es gar nicht mehr geht, dann muss ich mir eben weiter außerhalb der Stadt etwas suchen.«

Unabhängig ob Mann oder Frau: Akiko konnte mit Menschen, die vor Motivation nur so glühten, nicht so viel anfangen. Ambitioniert zu sein, war etwas Wunderbares, aber wenn jemand seinen Tatendrang zu sehr zeigte, trat sie am liebsten ein, zwei Schritte zurück. Shima-chan hatte nichts an sich, das Akiko auf diese Weise unangenehm berührte. Sie fühlte sich in ihrer Gegenwart wohl und konnte sich ganz natürlich mit ihr unterhalten. Im Inneren hatte sie sich für Shima-chan entschieden, doch da noch einige weitere Vorstellungsgespräche geplant waren, sagte sie ihr erst einmal nichts. Doch es kam keine Bewerberin mehr, die Akiko in ihrem Entschluss umstimmte.

»Echt? Vielen Dank!«, freute sich Shima-chan, als Akiko sie anrief. Das Leuchten, das sie in Shima-chans so ruhiger, an einen Jizō-Mönch erinnernder Stimme jetzt vernahm, freute auch Akiko umso mehr.

»Nochmals vielen Dank!«, sagte Shima-chan mit einer Verbeugung, als sie ein paar Tage später erneut ins Café kam. Diese angenehm aufrichtige Art, sich zu verbeugen, hatte sie sich bestimmt in den harten Sporttrainings ihrer Schulzeit angeeignet. Akiko war in den letzten Jahren, vor allem auch im Verlag, immer mehr aufgefallen, dass heute den jungen Menschen zu Hause anscheinend vermittelt wurde, dass Erfolg haben bedeutete, über den anderen zu stehen. So kam es, dass neue Mitarbeiter im Verlag, die ja eigentlich die besten Notendurchschnitte im Gepäck hatten, nicht einmal wussten, wie man sich anständig verbeugte, geschweige denn, wie man sich entschuldigte. Sie erinnerte sich, wie ihr Kollege sich immer wieder die Haare gerauft hatte: »Muss man bei euch wirklich bei null anfangen? Wir sind doch nicht eure Eltern, nur damit das klar ist!«

Wie froh war Akiko, dass sie das nun nicht mehr mitmachen musste.

Als Shima-chan das vor der Eröffnung noch ziemlich kahle Café betrat, blickte sie sich mit großen Augen um.

»Ach! Das hat sich ja richtig geleert hier! Weg mit dem

ganzen Gerümpel, was?«, sprach sie unverblümt aus, was sie dachte.

»Genau, ich mag es lieber simpel und schlicht. Aber wenn man hier und da ein paar Blümchen hinstellt, wird es ganz hübsch werden.«

»Das ist eine wundervolle Idee!« Shima-chan lächelte vergnügt.

»Da der Raum ja eher klein ist, wollte ich ihn nicht mit zu vielen Tischen verstellen.«

»Ein bisschen wie in den Unterkünften im Trainingslager«, schmunzelte Shima-chan.

»Ach ja, jetzt, wo du es sagst, stimmt!«

Eigentlich schön, wenn es etwas wie in einem Speisesaal aussah, dachte sich Akiko zufrieden.

»Es gibt doch diese hippen Cafés, wo man an ganz kleinen Tischen sitzt. Ich bin nicht nur groß, sondern esse auch viel und fühlte mich an solchen Orten immer ziemlich eingeengt. Ist nicht so mein Ding, glaube ich.«

»Hier könntest du dich richtig ausstrecken«, zwinkerte ihr Akiko zu. Shima-chan nickte und prustete los. In ihrem Lachen lag etwas so Ehrliches, Liebenswürdiges. Nein, gekünstelt und oberflächlich lächeln würde Shima-chan nie, und mit diesem warmen Blick würden sie bestimmt auch die Gäste des Cafés ins Herz schließen, da war sich Akiko sicher.

Akiko nahm eines der hölzernen Tabletts vom Stapel und arrangierte darauf ein schlicht designtes Glas, einen Teller und eine Schüssel sowie Besteck.

»Ich habe mir Folgendes überlegt«, erklärte sie Shima-chan. »Ich möchte zu Beginn erst einmal täglich zwei verschiedene Suppen und zwei verschiedene Sandwiches anbieten; mit normalem Toastbrot oder je nach Möglichkeit mit Baguette, Bagel oder Körnerbrötchen.« Sowohl die zierlicheren Schälchen als auch die etwas dickeren Tonschalen waren milchweiß, grau, beige oder hatten bräunliche oder grünliche Töne. Akiko hatte die schlichten, naturfarbenen Stücke nach und nach einzeln für ihre größer werdende Sammlung ausgesucht, sodass das Geschirr nicht etwa aus zusammengehörigen Sets bestand. Bei den Schalen achtete sie darauf, dass man sie sowohl für die Suppe als auch für einen Salat verwenden konnte. Für den Fruchtsalat hatte sie kleine Glasschälchen gekauft. Die Kochmeisterin und Leiterin der Kochschule hatte Akiko einen ihrer ehemaligen Lehrlinge, der inzwischen Chefkoch in seinem eigenen Restaurant war, vorgestellt und ihn gebeten, Akiko bei der Besorgung von Lebensmitteln zumindest in der ersten Zeit etwas zu begleiten. Wie die Kochmeisterin hätte auch er sie niemals mit Fragen gelöchert, sondern erkundigte sich nur nach ihren ungefähren Wünschen und Vorstellungen. Er erklärte ihr, was man so über das Einkaufen auf dem Markt wissen musste, und nahm sie mit zu den Bauernbetrieben, die ihr Gemüse mit wenig oder ganz ohne Pestizide anbauten. Obwohl Akiko während der Arbeit am Kochbuch auch mit der Meisterin zum Markt mitgegangen war, fühlte sie sich richtig nervös, als sie das erste Mal frühmorgens mit dem Küchenchef durch die Stände ging. Doch mit der Zeit konnte sie sich immer besser mit den Verkäufern und Verkäuferinnen austauschen und fühlte bald pure Freude, wenn sie frisches Gemüse ergatterte, das sie anlachte. Immer besser verstand sie, wie gewissenhaft und mit welcher Hingabe diese oft sehr kleinen Familienbetriebe ihr Gemüse produzierten, und nahm sich vor, beim Kochen deren Einsatz gerecht zu werden. Sie war dem Küchenchef unglaublich dankbar für seine Hilfe, gleichzeitig fühlte sie sich allmählich bereit, mit Shima-chan die Ärmel hochzukrempeln und selbst einkaufen zu gehen. Das Brot kaufte sie bisher noch bei einem Bäcker, doch sobald sie etwas Luft haben würde, wollte sie auch ihre eigenen Backkünste einsetzen. Ihre Träume wurden immer größer, doch … würde sie das alles überhaupt schaffen? Akiko hatte keine Ahnung, wie es mit dem Café laufen würde.

»Auf meine Muckis können Sie zählen!«, lachte Shima-chan. »Sagen Sie jederzeit, wenn ich etwas für Sie tragen soll. Jedenfalls kann ich Schwereres heben als diese Softies von jungen Männern heute!«

Wie gut, dass Shima-chan da war, dachte Akiko. Die Gestaltung des Cafés, ihre Mitarbeiterin … alles war so gekommen, wie sie es sich gewünscht hatte. Akiko war froh, wie reibungslos bisher alles gelaufen war.

Akiko hatte das Datum der Eröffnung weder den Stammgästen ihrer Mutter noch ihren Freundinnen oder den alten Kollegen vom Verlag mitgeteilt. Die Eingangstür war nicht, wie sonst bei Neueröffnungen von Läden üblich, mit weiß-rot bebänderten Plastikblumenkränzen geschmückt. Dafür stand im Laden eine große Vase mit etwa einem Dutzend farbiger Inkalilien. Auf jedem Tisch befand sich ein kleines Väschen mit weißen Gerbera, und in einem großen ovalen Tonkrug leuchtete ein schlichter Strauß aus feinen grünen Blätterästen, den sie im Blumenladen auf der Einkaufsstraße gefunden hatte. Als sie und Shima-chan am Vormittag die letzten Vorbereitungen trafen, spähten immer wieder Passanten durch die Glasscheibe. Sie waren natürlich neugierig geworden und wollten wissen, was für ein Café da eröffnet worden war.

Ob einige von ihnen einmal zum Essen kommen würden, fragte sich Akiko, während sie in der Küche die Brötchen belegten. Plötzlich bemerkte Shima-chan, wie ein älterer Mann sein Gesicht an die Scheibe drückte, als wollte er jeden Winkel im Inneren inspizieren.

»Schau mal, Akiko«, schmunzelte sie, »der sieht ein bisschen aus wie die Trickfigur Anpanman.« Als Akiko ihren Blick hob, sah sie, dass es Suda-san, einer der Stammgäste ihrer Mutter, war. Verständlich, man stelle sich vor, das langjährige Stammlokal schließt seine Tore, die Tochter der Besitzerin will auch nach der tausendsten Bitte mit nichts herausrücken, und nach ewigem Rätseln, was wohl aus dem Lokal werden würde, steht auf einmal so ein komisches Café da ... Da würde wohl jeder sein Gesicht an der Fensterscheibe platt drücken, dass die Wangen ganz runzelig wurden, und alles inspizieren, was man nur konnte. Suda-san begann wie wild an die Tür zu klopfen und hätte wohl noch ewig so weitergemacht, wäre Akiko nicht bereits herbeigeeilt, um ihm zu öffnen. Suda-san erschrak fast ein wenig, als sie ihm, sich die Hände an der Schürze abwischend, die Tür aufmachte.

»Hallo, Aki-chan«, sagte er mit weit aufgerissenen Augen. »Sag mal, was ist denn hier los? Ich habe mir schon Sorgen gemacht«, fügte er hinzu und lehnte sich dabei wie ein quengelndes Kind nach vorne.

»Suda-san, guten Tag! Entschuldigen Sie bitte. Ich dachte, irgendwelche halben Sachen zu erzählen, würde nichts bringen. Entschuldigung, dass ich Ihnen Sorgen bereitet habe.« Akiko machte eine Verbeugung.

»Entschuldigung ist gut. Wir haben uns Tausende Gedanken gemacht, wie es hier weitergeht. Du mit deinem Beruf im Verlag ... Wir haben uns sehr wohl Sorgen gemacht!«

Als Akiko ihm schuldbewusst und mit gesenktem Blick erzählte, wie es zu diesem Café gekommen war, nickte er aber. »So war das also ...«, sagte er und warf an Akiko vorbei ein paar verstohlene Blicke ins Innere.

»Das muss ich sofort den anderen berichten«, rief er plötzlich, »ich geh dann mal, Aki-chan, bin gleich wieder da!« Und schon rannte er, das Handy in der einen Hand und mit der anderen Hand Akiko zuwinkend, die Einkaufsstraße hinunter.

»Ein Stammgast meiner Mutter ...«, erklärte Akiko Shima-chan. Diese blickte ihm nach und meinte nachdenklich: »Sie werden sich vielleicht erschrecken, weil es sich so verändert hat ...«

Bis zur Eröffnung um 12 Uhr war noch allerhand zu tun, und die Uhr tickte. Doch nun kamen, angefangen mit Yamada-san, ununterbrochen ehemalige Stammgäste vorbei, die durch Suda-san von der Eröffnung gehört haben mussten. Da das Café schon von außen eine ganz andere Atmosphäre verbreitete als »Kayos Küche«, traten sie alle neugierig ins Innere und musterten den neu gestalteten Raum.

»Hä? Was soll denn das werden?«, fragte ein ehemaliger Stammgast, der früher von allen am meisten getrunken hatte.

»Das siehst du doch! Das ist ein Café ...«, zischte Yamada-san zurück.

»Ein Café? Ist aber ganz schön kahl, das Ganze. Keine Deko und nichts …«

»Nun sei mal nicht so. Ist eben nach Aki-chans Geschmack eingerichtet. Wenn der Besitzer wechselt, sieht's halt anders aus, ist doch klar.«

»Ja, aber kannst du hier etwa gemütlich essen? Ich vermisse Kayos heimelige Stube …«

Yamada-san stellte sich vor den meckernden Mann, als wollte er ihn mit seinem Körper verdecken, und entschuldigte sich unaufhörlich. »Verzeihung, liebe Aki-chan, entschuldige bitte.«

Aber Akiko berührte die Kritik jenes Stammgastes eigentlich gar nicht. Die Gäste mussten »Kayos Küche« unheimlich geliebt haben, sonst wären sie nicht all die Jahre in dieses Restaurant eingekehrt, dessen Küche nun wirklich nicht der Rede wert war. *Aber wisst ihr,* murmelte Akiko im Inneren, *ich hatte einfach keine Lust, diese gute Stube meiner Mutter weiterzuführen.* Später kamen noch weitere ehemalige Stammgäste vorbei, sodass am Ende rund zehn ältere Männer im und um den Laden herumstanden und das Café kritisch musterten. Einige Passanten drehten sich verwundert um, als sie den Auflauf sahen.

»Akiko, ist alles in Ordnung? Die Leute schauen schon …«, meinte Shima-chan besorgt.

»Ja, alles gut. Ich hatte ihnen nie etwas gesagt, und jetzt sind sie wohl etwas überrumpelt.«

Bruchstückhaft drangen die Stimmen der Männer an Akikos Ohr.

»Ja, sapperlot …«

»Oha, was ist denn das?«

»Und wie stellt sie sich das vor?«

Doch sie hatte keine Zeit, sich jede ihrer Bemerkungen zu Herzen zu nehmen.

»Die Butter verstreichst du bitte schön bis zur Rinde hin, ja? Bei Vollkornbrot und beim Brot aus Naturhefeteig kann das Streichen etwas schwierig sein, also pass gut auf«, wies sie Shima-chan an. Diese widmete sich hochkonzentriert, jeden Muskel in ihrem stämmigen Körper angespannt, dem Kampf mit dem Buttermesser.

»Oje ... jetzt habe ich ein Loch gemacht!«, rief sie kurz darauf und blickte Akiko an, als hätte sie gerade den größten Fehler ihres Lebens begangen.

»Dann hast du dir schon mal dein Mittagessen zubereitet. Sieh zu, dass du das Brot nicht zu den anderen tust«, sagte Akiko und musste schmunzeln, als Shima-chan ihre Panne daraufhin am äußersten Rand der Küchenzeile platzierte. So weit hätte es nun auch nicht sein müssen.

Als sie in der Küche bereit waren, schrieb Akiko mit weißer Kreide auf ihre kleine aufklappbare Laden-Tafel:

Mittagsmenü 1.000 Yen:
Sandwich, Suppe, Salat
und kleines Fruchtdessert
(nach Wahl Vollkornbrot oder Sauerteigbrot)

Als sie die Tafel nach draußen vor das Café trug, teilte sich die Männerschar vor dem Eingang wie das Meer in dem Film *Die Zehn Gebote.*

»Was ist das denn jetzt?«

»Zeig mal her, was bringt sie da?«

Alle spähten nun auf das Geschriebene. Einer von ihnen polierte gründlich seine Brillengläser, um besser sehen zu können.

»Das ist unser Menü«, erklärte Akiko.

Während alle noch wie angewurzelt dastanden und stumm auf die Tafel starrten, durchbrach der Mann mit dem Alkoholproblem, der auch vorhin schon lauthals reklamiert hatte, die Stille.

»Ist das alles?!«, fragte er.

»Da meine Mitarbeiterin und ich nur zu zweit sind, können wir leider nicht mehr anbieten.«

»Das ist doch viel zu wenig!«, protestierte er. »Da musst du mehr bieten. Es kommen doch die verschiedensten Leute zum Essen. Denen wird dein Süppchen schon bald mal zum Hals heraushängen, ich sag's dir. Deine Mutter hatte den Laden doch auch fast ganz ohne Hilfe geschmissen und trotzdem hing an der Wand eine ganze Reihe mit Gerichten, die man bestellen konnte. Nein, ist ja unmöglich, so was hier …« Er stöhnte laut.

Akikos Mutter war das gelungen, weil sie einen riesigen Kühlschrank im Lokal stehen gehabt hatte, der bis zum Rand mit tiefgekühlten Fertiggerichten vollgestopft gewesen war. Auch die Mikrowelle wurde in »Kayos Küche« am laufenden Band benutzt. Aber das war die Arbeitsweise ihrer Mutter gewesen. Akiko wollte das in ihrem Café nicht mehr so handhaben. Eine kleine Auswahl, dafür jedes einzelne Gericht mit Liebe und Sorgfalt und hochwertigen Zutaten zubereiten, das war ihre Maxime!

»Nein, das geht so nicht …« Diese seufzend vorgetragene Kritik verursachte Akiko dann doch ein mulmiges Gefühl. Was, wenn sie die ganze Zeit nur naiv geträumt hätte? Vielleicht kam sie nicht über die Runden, wenn sie es ihrer Mutter nicht gleichtat? Doch dann fasste sie sich wieder. Wer konnte das jetzt schon sagen? Wenn Akiko wie geplant zu Beginn zwei Gerichte zur Auswahl anbot, dürfte eigentlich erst einmal nichts passieren. Die Gäste konnten bei einem Besuch nicht alle Gerichte probieren, und sowieso plante Akiko, das Menü täglich zu wechseln. Dass die Gäste ihrer Suppen schnell überdrüssig wurden, konnte doch schon einmal gar nicht sein. Außerdem wollte sie vielmehr ein Café führen, bei dem sich die Gäste mit Vorfreude sagten: »Oh, ich will wieder in dieses Café, weil es mir dort so gut geschmeckt hat!«

Doch diese Gedanken jetzt den Männern zu erklären, wäre hoffnungslos gewesen. So ging Akiko einfach stumm wieder in den Laden zurück.

Um Punkt zwölf standen Suda-san und zwei weitere ehemalige Stammgäste wieder vor dem Café – Akikos allererste Gäste. Sie nahmen Platz und warfen immer wieder verstohlene Blicke durch den Raum.

»Soso ... interessant ...«, murmelten sie mit Blick auf die Karte und gaben ihre Bestellung auf. Shima-chan brachte Akiko den Zettel sofort in die Küche. Da Akiko keinen Computer besaß, lief im Café bis auf die Kasse alles analog.

Die drei älteren Männer saßen am Rand eines der drei großen Tische und sahen sichtlich gelangweilt aus. Ab und zu lehnte sich einer ein wenig über die Tischplatte, um den beiden anderen etwas zuzuflüstern. In »Kayos Küche« war ununterbrochen der Fernseher gelaufen, auch hatten immer einige Sportzeitungen und gewisse, in Packpapier eingebundene Zeitschriften zum Lesen ausgelegen. Im Café gab es nichts von alldem, und sie wussten offensichtlich nicht, was sie mit sich anfangen sollten. Akiko probierte noch einmal die Suppe, die sie mit viel grob geschnittenem Gemüse zubereitet hatte, und bat Shima-chan dann, die drei Tabletts vorzubereiten.

»Ja, gerne«, gab diese merklich nervös zur Antwort und begann mit todernstem Gesicht auf jedes Tablett eine Suppenschüssel zu stellen. Akiko, die daneben den Rest zubereitete, schielte neugierig zu ihr hinüber. Welche Schalen würde Shima-chan wohl aussuchen? Als sie sah, dass sie eine beige, eine grüne und eine eher dunkelbraune Schale hervorholte, musste sie schmunzeln. Es waren die Hemdfarben der drei Männer.

»So weißt du gleich, welches Tablett für wen ist«, zwinkerte Akiko ihr zu, woraufhin Shima-chan lächelnd nickte.

Als Nächstes kamen zwei junge Frauen herein. Akiko schätzte sie beide so um die dreißig.

»Zwei Sandwiches mit Vollkornbrot«, überbrachte Shima-chan Akiko deren Bestellung und bereitete eilig zwei Tabletts mit dem vereinbarten Sandwich-Gedeck vor. Akiko war froh, musste sie Shima-chan nicht für jede Handlung eine Anweisung geben. Nach einer Weile waren die Sets für die drei Stammgäste bereit.

»Oh, interessant. Das sieht richtig gut aus!«, sagte Suda-san als Erstes, als ihr jeweiliges Menü vor ihnen stand.

»Ähm …«, wandte der zweite aber sogleich ein, »dieses Geschirr … also … ist das nicht so eins, wie es die Toten an der Beerdigung bekommen? Ohne jedes Muster? Da fehlt doch was, meinen Sie nicht?«

Shima-chan, auf deren Zustimmung der Mann nun wartete, blickte nach einem kurzen Zögern verlegen zu Akiko hinüber, welche sie lächelnd zu sich in die Küche winkte.

»Mensch, jetzt hör doch auf. Red nicht so ein Zeug. Die arme Aki-chan. Du machst sie ja ganz traurig. Siehst du denn nicht, dass sie sich alle Mühe gibt?«, konnten sie die Männer von dort flüstern hören.

»Ja, aber sieh dir doch das mal an ... Komme mir vor, als äße ich grad meine Ration im Gefängnis.« Je weniger gut ältere Leute hörten, desto lauter pflegten sie zu sprechen. So drang das eigentlich geheime Gespräch der Männer bis zu Akiko und Shima-chan herüber. Akiko aber regte sich nicht im Geringsten auf, viel eher musste sie sich zusammenreißen, um nicht gleich loszuprusten.

»Wie unverschämt, nicht?«, brummte Shima-chan neben ihr wütend. Wortlos, doch mit einem Lächeln auf den Lippen, stellte Akiko die bestellten Sandwiches auf das Tablett, füllte zwei Schalen mit Gemüsesuppe und bereitete im Eiltempo einen kleinen Möhren-Rosinen-Salat zu, den sie als Beilage servieren wollte. Der Menüsalat selbst bestand heute aus Kartoffeln, gekochten Pilzen und etwas garnierter Petersilie. Shima-chan servierte in zwei kleinen Glasschälchen ein paar Grapefruit-Schnitze und Erdbeeren und verzierte beide Desserts mit einem Blatt Minze.

»Danke dir. Dann kannst du's bitte rausbringen.«

»Oh, wie hübsch!«, riefen die beiden Frauen begeistert, als Shima-chan das Tablett vor ihnen abstellte. Ihr Blick blieb dabei vor allem auf den kleinen Glasschälchen haften. Und als sie dann zum Tisch mit den drei Männern hinüberblickten, schienen sie dasselbe zu bemerken wie zuvor Akiko: »Das ist alles auf die Gäste abgestimmt«, sagten sie gerührt und freuten sich umso mehr. Während die drei Männer ihrerseits wortlos ihre Suppen löffelten, tauschten sich die beiden Frauen vergnügt aus.

»Hast du die Suppe probiert?«

»Ja, echt lecker ... du spürst richtig, wie sie deinen Körper wärmt.«

»Genau. Kein Vergleich mit der Suppe, die wir in diesem einen Restaurant hatten, weißt du noch?«

»Mhm.«

Akiko, die sich fest vorgenommen hatte, allein aus dem Geschmack der Zutaten das beste Aroma hervorzuzaubern, freute sich von Herzen über die Reaktion der beiden.

»So. Danke, dann.« Nach dem Essen traten die drei Männer an die Kasse, um zu bezahlen. Als Akiko, ohne groß zu fragen, wie es geschmeckt hatte, abgerechnet hatte und ihnen das Rückgeld herausgab, bemerkte der eine: »Akiko, hör mal ... fehlt da nicht ein bisschen Salz?«

»Ja?«, gab Akiko nüchtern zurück.

»Ja, könnte schon noch was vertragen, fand ich. Schmeckte bisschen wie im Krankenhaus.«

»He, kannst du dich nicht mal zusammenreißen? Gefängnis, Krankenhaus, das ist nicht schön, was du rauslässt. Denk mal ein bisschen an dein Gegenüber! Mach dir keine Sorgen, Aki-chan. Es ist nur, dass wir drei fanden, dass es jetzt nicht gerade intensiv im Geschmack war. Weiter nichts, ja?«

Suda-san, der Schlichtmeister, also.

»Vielen Dank.« Akiko, die ihm schmunzelnd zugehört

hatte, verbeugte sich und blickte den dreien noch eine Weile nach. Bestimmt würden sich ihre heutigen Eindrücke wie ein Feuer unter den anderen Stammgästen verbreiten.

Danach kamen noch ein altes Ehepaar und ein Grüppchen von vier schnatternden Damen vorbei, sodass Akiko und Shima-chan durchgehend beschäftigt waren. Junge Mütter mit einem Kinderwagen oder ganz kleinen Kindern spähten zwar neugierig hinein, gingen aber weiter, nachdem sie die schwarze Tafel gelesen hatten. Für sie waren 1.000 Yen für ein Mittagessen bestimmt etwas zu teuer, und sie fühlten sich in einer einfachen, erschwinglichen Restaurantkette wohler, in der niemand etwas sagte, wenn die Kinder mal laut waren. Vielleicht war ihre Einstellung überheblich, aber Akiko hatte nie vorgehabt, ein Café für jedermann zu führen. Es war doch schließlich normal, dass Menschen ihre Vorlieben hatten, und es war ebenso selbstverständlich, dass ihr Café nicht jedem zusagte. Das Wichtigste war, sich nicht von seinem Kurs abbringen zu lassen. Es lag in der Natur des Menschen, der Dinge schnell überdrüssig zu werden. Die Trends wechselten rasant, und Gäste, die einmal gerne ins Café gekommen waren, würden vielleicht irgendwann nur noch desinteressiert daran vorbeilaufen. Das war dann eben so. Da sie auch Shima-chan bezahlen musste, fühlte sich Akiko schon verantwortlich, für das nötige Einkommen zu sorgen. Doch sie wollte keine Abstriche bei der Qualität ihrer Gerichte machen oder gar ihr Menü dem neuesten Trend anpassen, nur weil es einmal nicht so rundlief.

Aber ob ich mit dieser Einstellung durchkomme?

Akiko wusste es nicht.

An diesem ersten Tag des Cafés mit dem lustigen Namen »ä« arbeiteten sie und Shima-chan bis abends um sieben Uhr, dann waren alle ihre Zutaten aufgebraucht. Gegen Abend entdeckten sie einige weitere ehemalige Stammgäste vor dem Laden, die dann aber sogleich wieder verschwanden.

3

»Geht's Ihrem Kätzchen gut?«, erkundigte sich die Verkäuferin des Blumenladens jedes Mal, wenn Akiko bei ihr vorbeischaute.

»Oh ja, und wie! Da kaufe ich mal Blumen und stelle sie auf den Esstisch – und im Nu liegt die Vase am Boden ... Ich bin ständig angespannt!«

Die Verkäuferin lächelte. »Heutzutage gibt's auch schöne Kunststoffblumen. Die sind zum Teil wirklich gut gemacht. Ich kenne einige, die ihr Geschäft mit solchen Blumen dekorieren. Früher, oje, da hatten wir doch diese Hongkong-Blumen – die kennen Sie vielleicht nicht mehr. Puh, kitschig waren die und sahen furchtbar unecht aus.«

»Doch, die kenne ich auch noch. Diese Kunstblumen aus dickem Plastik. Meine Mutter hatte auch solche im Laden, knallrote Plastikrosen.«

»Ja, genau, die! Die machten zwar keine Arbeit, aber wenn man genau hinguckte, sah man die graue Staubschicht drauf. Dann landeten sie auf dem Schrank und schließlich verschönerten sie nur noch das Klo.«

Vergnügt erinnerten sich die beiden an damals, als die Verkäuferin auf einmal wieder verzweifelt klang. »Ja, ja, heutzutage gibt's so viel praktisches Zeugs, auch diese konservierten Blumen, die man mit einem Photokatalysator bearbeitet und die die Luft im Raum reinigen sollen, wissen Sie, welche ich meine? ... Das mag ja alles seine Vorteile haben, aber irgendwie auch schade, dass man heutzutage alles meidet, was ein wenig Zeit in Anspruch nimmt.«

Nachdem Akiko den Laden verlassen hatte, betrachtete sie ihren Einkauf. Die Inkalilien in ihrem Arm hießen offenbar »Primadonna«. Sie hielten sehr lange, daher holte Akiko sie sich ab und an für das Café, doch unbewandert wie sie in Sachen Blumen war, hatte sie nicht gewusst, dass es eine Blumenart mit diesem hübschen Namen gab. Vorfreudig malte sie sich Shima-chans strahlendes Gesicht aus, wenn sie ihr den Namen dieser Blumen verraten würde. Doch dazu kam es nicht.

»Oh, Primadonnen!«, rief Shima-chan nämlich sogleich, als sie Akiko mit dem Strauß im Arm ins Café kommen sah.

»Die kennst du?«, fragte Akiko überrascht.

»Ich habe eine kleine Vorliebe für Pflanzen«, lächelte Shima-chan verlegen.

»Wirklich? Ah, dann weißt du vielleicht auch, wie das hier heißt, dieses ... darf ich es Unkraut nennen?« Akiko führte Shima-chan vor den Laden und zeigte auf das grüne Gewächs an der seitlichen Hausmauer, das ihr neulich aufgefallen war.

»Akiko, es wird ganz traurig, wenn du ›Unkraut‹ zu ihm sagst. Das ist Schlangenbart!«

Akiko nickte staunend und folgte mit den Augen Shima-chans Finger. »So einen prächtigen Namen hast du, das tut mir leid«, sagte sie. »Du hast all die Jahre hier für uns geblüht, ohne dass wir dir Beachtung geschenkt haben ...«

»Jedenfalls sind die Samen nicht einfach vom Himmel gefallen und haben Wurzeln geschlagen. Den muss jemand gesetzt haben«, schätzte Shima-chan.

Akiko neigte den Kopf. Sie war es nicht gewesen, und ihre Mutter hatte auch nie etwas Derartiges erzählt. Jedenfalls konnte sich Akiko, die sich nie sonderlich für Pflanzen interessiert hatte, nicht mehr daran erinnern. Sie stellten die »Primadonnen« nach dem Saubermachen in eine Vase, und der Innenraum von Akikos Café wirkte auf einmal viel freundlicher. Es war, als würde einen die Ecke mit der Vase magisch anziehen.

»Die Kraft der Blumen ist schon etwas Wunderbares ...«, sagte Akiko. »Als ich jung war, haben mich Blumen kaltgelassen. Und meine Mutter hatte sich bei Bedarf lieber ein paar Plastikblumen besorgt. Ab und zu habe ich zwar Blumen geschenkt bekommen, aber Blumen merken es wohl, wenn man sich nicht für sie interessiert. Sie sind mir jedes Mal im Nu verwelkt. Wenn das so ist, lässt du in Zukunft lieber die Finger davon, sagte ich mir dann. Ich habe mir selbst nie wieder welche gekauft und lehnte sogar Geschenksträuße ab. Aber weißt du, Shima-chan ... seit ich meine Freude an ihnen entdeckt habe, halten sie auf einmal viel länger.« Akiko lächelte und sah zu Shima-chan hoch. »Wenn du Blumen so magst, kennst du so was bestimmt nicht, oder?«

»Verwandte oder auch unsere Nachbarn sind früher oft mit ihren Blumentöpfen zu mir gekommen, wenn mal etwas nicht mehr recht geblüht hat. Und wie verwelkt die Pflanzen auch waren, wenn ich mich um sie kümmerte, sind sie nach einer Weile jedes Mal wieder zu sich gekommen, warum auch immer«, erzählte diese, und dabei leuchteten ihre Augen. Berührt malte sich Akiko aus, wie sich die stämmige Shima-chan liebevoll um die Blumentöpfe kümmerte.

»Wie wunderbar, Shima-chan. Pflanzen wieder zum Leben erwecken zu können, ist eine besondere Gabe.«

Mit einem etwas verlegenen Lächeln machte sich Shima-chan an die Vorbereitungen für die Mittagsschicht.

Trotz Akikos anfänglichen Sorgen lief das Café mittlerweile überraschend gut. Mittags bildete sich sogar oft eine Schlange vor dem Eingang, und sie mussten ihre Gäste warten lassen. Nicht selten mussten sie den Laden abends statt wie geplant um sieben schon um sechs oder um fünf schließen, weil ihnen die Zutaten ausgegangen waren.

»Sollten wir mehr einkaufen?«, fragte Shima-chan, doch mehr Arbeit als jetzt würden sie zu zweit gar nicht schaffen. Die Stammgäste ihrer Mutter waren nach jenem ersten Tag so gut wie nicht mehr aufgetaucht. Diejenigen, die kamen, mochten nicht etwa das Café, sondern wollten, eher nach dem Motto »Kayos Töchterchen müssen wir wohl noch was beibringen!«, Akiko Ratschläge und Warnungen erteilen. Sie erhofften sich anscheinend, dass sich das Café dadurch verändern würde.

Der Laden sei zu kahl, er habe keine Wärme, sei zu gekünstelt, zu aufgetakelt und allem voran zu teuer.

Das Menü sei zu dürftig.

Eine etwas hübschere Aushilfe würde mehr Kunden anlocken. Ohne Fernseher, Zeitungen und Zeitschriften langweile man sich nur, bis das Essen komme. Alkohol fehle. Es sei einfach kein Ort, zu dem sie mit Freunden kommen und einen gemütlichen Abend verbringen konnten ...

Akiko hörte sich jede einzelne dieser Reklamationen kopfnickend an. Dass sie in »Kayos Küche« ihr zweites Wohnzimmer, in dem sie sich versammeln konnten, gesehen hatten, dafür war Akiko ihnen ja von Herzen dankbar, dennoch konnte sie auf die Ratschläge der Stammgäste nichts weiter antworten als: »Aber was ich mir gewünscht habe, ist eben ein Café wie dieses hier, tut mir leid.«

Einige nickten zwar verständnisvoll, nachdem sie eine Weile nachgedacht hatten. Andere aber belehrten sie unermüdlich weiter: »Du musst den Traum deiner Mutter doch weiterführen, Aki-chan. Denk mal, du bist nicht verheiratet. Kinder hast du auch keine ...«

Bestimmt war Akiko in mancherlei Dingen tatsächlich noch unerfahren. Aber sie wollte sich, und das schloss ihre Mutter ein, mit nichts und niemandem vergleichen, sondern nur ein Café nach ihren eigenen Vorstellungen auf die Beine stellen. Shima-chan meinte oft missmutig: »Am Ende sind die Männer nur außer sich, weil sie ihr Stammlokal verloren haben. Dabei könnten sie sich doch einfach einen neuen Ort suchen ...«

»Na ja, die Menschen sind eben verschieden. Diese Männer sind jahrelang bei meiner Mutter eingekehrt und kennen mich, seit ich ein kleines Mädchen war. Da kommt bei ihnen jetzt wohl einfach das Bedürfnis hoch, mich zurechtzuweisen.«

»... Seit du ein kleines Mädchen warst? ... Du bist aber kein Kind mehr, oder?«, schimpfte Shima-chan immer wütender, während sie inbrünstig die Teller polierte.

Die meisten Gäste in Akikos Café waren Frauen, vielleicht fühlten sich die Stammgäste auch deswegen nicht wohl hier. Die Männer klagten zwar, die Menükarte sei zu dürftig, aber es war ja nicht so, dass Akiko den Gästen ständig das Gleiche auftischte. Wenn ein Chicken-Sandwich auf dem Menüplan stand, gab es dazu eine leichte Suppe.

Wenn das Sandwich eher schlicht war, kochte Akiko eine deftigere Suppe, so machte sie sich immer viele Gedanken. Akiko kochte auch nie in riesigen Mengen, um den Rest für später einzufrieren. Wenn die Suppe im Topf alle war, schloss das Café für diesen Tag eben früher.

Shima-chan kleidete sich weder schick noch ging sie wirklich mit der Mode, aber sie hatte ein gutes Gespür, ein reifes Denken und war vor allem eine echte Unterstützung bei der Arbeit. Als sie sah, dass man einige Zutaten für die Suppe, um ein gutes Umami hervorzuzaubern, zunächst lange in der Pfanne schmoren lassen musste, bot sie Akiko an, morgens etwas früher zu kommen. Gleichzeitig hätte sie sich aber nie so verhalten, als wäre sie der Chef im Laden, wie es engagierte Aushilfen oft taten. Als langjähriges Mitglied in Sportmannschaften war sich Shima-chan ihrer Position sehr wohl bewusst und wusste, was sie zu tun hatte und was nicht.

Eines Tages standen die beiden vor dem großen Kochtopf und dem Schneidebrett, als Akiko zu ihr sagte: »Du verstehst so rasch, was man meint, und reagierst immer blitzschnell. Bestimmt wurdest du als Kind ständig dafür gelobt. Im Sport erst ... da haben sicher immer alle auf dich gezählt.«

»Ja, die Erwachsenen schon. Die aus meiner Mannschaft haben sich eher lustig über mich gemacht, weil ich so riesengroß war. Aber als sie sahen, was ich draufhatte, waren sie auf einmal ganz still«, merkte Shima-chan schmunzelnd an und warf einen prüfenden Blick in den Suppentopf. Die Zwiebeln für die Suppe mussten vor dem Kochen eine ganze Weile in der Pfanne dünsten. Da war

Akiko sehr froh über Shima-chans Hilfe. Natürlich gab es kleingehackte Zwiebeln auch im Pack zu kaufen, oder man hätte den Zwiebeln ihre Flüssigkeit bestimmt auch mit der Mikrowelle entziehen können. Doch Akiko bestand darauf, alles von Hand zu machen. Je mehr Gäste sie hatten, desto größer wurde auch der Aufwand bei der Vorbereitung. Im Augenblick waren sie und Shima-chan an der Grenze des Machbaren angelangt. Zu Beginn hatte Akiko sich noch Sorgen gemacht, ob überhaupt Gäste kommen würden, und nun, vier Monate nach der Eröffnung, mussten sie gegen sechs Uhr abends meistens schon Schluss machen, weil die Zutaten aufgebraucht waren.

»Tut mir leid, Shima-chan, anfangs konnte ich dir immer etwas von der übrig gebliebenen Suppe mitgeben, jetzt geht nicht einmal mehr das.«

Shima-chan winkte ab. »Ich bin doch schon dankbar, dass ich immer hier essen darf.«

Jeden Tag unterhielten sich die beiden auf diese Art über belanglose Dinge, manchmal so vergnügt, dass sie die Zeit vergaßen und dann wie ein Wirbelsturm durch die Küche hasteten, um noch rechtzeitig mit den Vorbereitungen fertig zu werden.

Inzwischen warteten bereits einige Gäste vor der Tür, wenn das Café öffnete. Manche studierten stumm das handgeschriebene Tagesmenü auf der schwarzen Klapptafel, andere spähten schon ungeduldig durch das Fenster. Akiko musste manchmal schmunzeln, wenn sie auf der Straße gegenüber die Madame der Kaffeestube erblickte, die das Geschehen vor dem Café mit Argusaugen verfolgte. Kurz bevor sie öffneten, stellten sich Akiko und Shima-chan immer in eine Ecke, in der man sie von außen nicht sehen konnte. Dort atmeten sie einmal tief ein und aus und sahen sich an.

»Auf geht's!«, sagten sie zueinander und verbeugten sich. So konnten sie vom Plauder- in den Arbeits-Modus wechseln und mit der Arbeit beginnen.

Akiko erinnerte sich an eine verheiratete Kollegin im Verlag, die vor lauter Stress ständig mit verkrampft hochgezogenen Schultern durchs Büro gelaufen war. Sie ging ihrer Arbeit im Verlag gewissenhaft und mit viel Hingabe nach, obwohl sie sich gleichzeitig zu Hause um den Haushalt und ihre Kinder kümmerte und nach Auszug der Kinder ihre Mutter pflegebedürftig wurde. Akiko war sich mehr als bewusst, wie viel diese Kollegin durchmachen musste, und ihr eigenes Leben kam ihr dagegen ganz und gar unbekümmert vor. Dennoch hatte sie sich immer gefragt, ob es nötig war, immer diese verzweifelt verbissene Aura zu verströmen. Hätte man den Augenblick, wenn sie das Lektorenzimmer betrat, in einem Manga-Frame dargestellt, hätte darin das Geräuschwort »Arrgh« nicht fehlen dürfen. In ihrer Anwesenheit lag immer ein für alle spürbares nervöses Zittern eines hibbeligen Menschen in der Luft, und das drückte auf die Stimmung. Mit ihren ständig hochgezogenen Schultern hatte man ihr ihre Anspannung schon mit bloßem Auge ansehen können. Wenn man sie besorgt darauf ansprach, meinte sie nur lachend: »Danke, alles gut, mir geht's gut!« Doch auch während sie lachte, blieben ihre Schultern steif und verkrampft. »Für die Dame muss es alles sehr anstrengend sein«, bemerkten manchmal auch Leute von außerhalb der Firma ...

Für Akiko war deshalb klar: In ihrem Café sollte keiner ihrer Mitarbeiter, einschließlich sie selbst, einen solchen Eindruck vermitteln müssen. Sie legte daher auf das kleine Ritual, sich vor Ladenöffnung kurz mit Shima-chan zurückzuziehen, die Schultern zu lockern und durchzuatmen, sehr viel Wert. Und wenn die Zutaten für den Tag ausgegangen waren, zögerte sie keinen Augenblick, vor die Tür zu springen und groß »Ausverkauft« auf die schwarze Klapptafel zu schreiben.

Manchmal gab es Leute, die auch dann noch ihren Kopf in den Laden steckten und meinten, sie hätten sich doch so gefreut, hier etwas zu essen, ob sie denn nicht noch eine Kleinigkeit rausgeben könnte.

Bei der Eröffnung hatte Akiko auch nicht mit den Gästen gerechnet, die, sobald sie das Café betraten, das Smartphone zückten und Fotos vom Lokal machten und fleißig die Gerichte abfotografierten. Akiko wusste von Restaurantbesitzern, die solche Gäste freundlich baten, das Fotografieren zu unterlassen. In anderen Lokalen konnten Gäste ungeachtet der Privatsphäre anderer Besucher nach Belieben Fotos schießen. Natürlich wusste sie, dass viele von ihnen Fotos für ihre Blogs machten. Ging man in ein besonders angesagtes Lokal, klebte nicht selten auch ein Zettel an der Tür mit der Bitte, keine Fotos zu machen. Doch dass solche Leute nun auch in Akikos schlichtes Café kamen, das sich noch dazu in einer hundsgewöhnlichen Einkaufsstraße befand, das hätte sie nun wirklich nicht gedacht.

»Wenn es ein oder zwei Leute wären ... aber da kommen schon ziemlich viele, die hier fotografieren, oder nicht?«, fragte sie Shima-chan in einer seltenen Verschnaufpause in der Küche, als für einen Moment keine neuen Gäste ins Café kamen.

»Die wollen halt alle angeben, dass sie schon hier waren, bevor das Café so richtig berühmt geworden ist«, meinte Shima-chan. »Ich bin mir sicher, dass es den meisten von ihnen darum geht. Neue Restaurants überall in der Stadt auszuprobieren, ist gerade ein ziemlich angesagtes Hobby, glaube ich.«

»Hm. Mundpropaganda ist heute enorm wichtig, ich weiß schon ...«

»Aber für's Bistro ist es doch eigentlich gut, oder? Da kommen Leute, die ihr Essen bezahlen und darüber hinaus noch gratis Werbung für uns machen.«

»Du meinst, sie machen auch für unser Café Werbung?«

»Na klar machen sie das! Ich glaube nicht, dass sie einfach nur zum Spaß ein paar Fotos machen. Die posten das online und schreiben dazu, dass es lecker war oder wie der Service so war und so was ...«

Obwohl Shima-chan noch recht jung war, schien sie dies irgendwie auch zu irritieren, denn sie zog beim Sprechen missmutig die Augenbrauen zusammen.

»Shima-chan, was würdest du machen, wenn du für ein Menü bezahlt hast, es dir aber überhaupt nicht schmeckt? Würdest du dich beschweren?«

»Hmmmm. Ich glaube, ich wäre eher auf mich selbst sauer, dass ich das Lokal nicht vorher durchschaut habe, dass mir vorher nichts aufgefallen ist.«

Shima-chan erzählte, dass man ihr als Kind beigebracht hatte, sich nicht über das Essen zu beklagen. Es sei schließlich ein Geschenk, überhaupt etwas auf dem Teller zu haben. Wer da noch begann, über den Geschmack zu urteilen, der würde irgendwann im Leben dafür bestraft werden.

»Als ich fünf war, hat mir das eingekochte Gemüse meiner Mutter etwas zu salzig geschmeckt, und ich habe es ihr gesagt. Da hat mein Vater mir die Stäbchen aus der Hand gerissen und mich angedonnert: ›Sei du erst mal dankbar, dass du etwas zu essen auf dem Teller hast. Für die, die so etwas über ihr Essen sagt, gibt es nichts mehr!‹ An diesem Abend habe ich nur ein Glas Wasser getrunken und bin ohne Essen ins Bett gegangen. Aber ich erinnere mich heute noch, wie qualvoll die Nacht war, weil ich so hungrig war. Deshalb: Ich glaube, man sollte nicht so arrogant über das Essen urteilen. Und bei der Wahl des Restaurants muss man eben sein Auge schulen und dorthin gehen, wo man denkt, dass es einem schmeckt, so einfach ist das.«

Als Akiko ihr wortlos applaudierte, lachte Shima-chan verlegen. »Tut mir leid, das klang jetzt ziemlich besserwisserisch ...«

Die Gäste, die ihre Fotos vom Café im Internet posteten, schrieben also auch dazu, was sie von Akikos Lokal hielten. Einerseits war Akiko neugierig, wie sie es fanden. Auf der anderen Seite wollte sie es lieber gar nicht wissen. Lobende Worte würden ihr wahrscheinlich Mut machen, andersherum würde sie Kritik vielleicht herunterziehen.

»Du machst einfach das, was du für richtig hältst!«, ermutigte Shima-chan sie. »Es gibt unzählige Menschen, die keine Ahnung haben und irgendeinen Mist posten.«

»Ja, bestimmt hast du recht!«, nickte Akiko und fühlte sich etwas beruhigt.

In diesem Moment trat ein junges Paar ins Café.

»Guten Tag!«, rief Shima-chan freundlich und ging mit einem Notizblock auf die beiden zu, die sich an einen Platz in der Ecke gesetzt hatten ...

Da auch an diesem Tag die Zutaten für die Sandwiches früher als geplant ausgegangen waren, schickte Akiko Shima-chan eher nach Hause. Sie ließ gerade den Rollladen des Cafés herunter, um drinnen noch zu Ende aufzuräumen, als die Madame über die Straße zu ihr gelaufen kam.

»Jetzt kommt doch erst die beste Zeit des Tages! Weißt du das nicht? Und du machst zu ...«, sagte sie verärgert.

»Mir sind die Zutaten ausgegangen. Ich habe nichts mehr zu servieren.«

»Die Zutaten sind ausgegangen ...«, brummte die Inhaberin des alten Cafés. »Dann muss man eben genügend einkaufen. Also Ahnung vom Geschäftemachen hast du aber nicht wirklich, was?«

Das Café zu eröffnen, war ihr nicht recht gewesen, und jetzt beschwerte sie sich, weil es zu früh schloss. Akiko lächelte bekümmert. »Kaffee oder Tee kann ich ja auch nicht anbieten, wenn sich gegenüber so ein schönes Café befindet, oder?«

»Also, Aki-chan! Was redest du da? Natürlich kannst du das nicht! Im Geschäftsleben gibt es Regeln, die nicht gebrochen werden dürfen! Was ich meinte, war nur, dass es sich nicht gut macht, wenn die Rollläden unten sind, jetzt, wo hier bis Mitternacht noch Leute durchschlendern«, schimpfte sie und verschwand schnurstracks wieder in ihrem Laden. Akiko riegelte den Rollladen gut ab und ging in ihre Wohnung im zweiten Stock zurück. Sofort kam der kleine Taro angeschossen und klammerte sich mit den zehn Krallen seiner winzigen Vorderpfoten fest an Akikos Brust, als wollte er sagen: »Ich lasse dich nie mehr los!«

»Ja, mein Kleiner. Danke, dass du so lange gewartet hast«, sagte Akiko und setzte sich mit Taro im Arm aufs Bett, der sich wie immer genüsslich schnurrend an sie kuschelte. Akiko wunderte sich; tagein, tagaus führten sie das gleiche Ritual durch, doch schien es Taro nie langweilig zu werden. Er könnte auch mal andere Reaktionen zeigen, wie wütend zu werden, zu schmollen oder tief zu schlafen, dachte sich Akiko verwundert. Aber Taro verhielt sich jeden Abend gleich. Wer weiß, vielleicht schlummerte er ja tatsächlich und begab sich in Stellung, sobald er Akiko die Treppe hochkommen hörte. Vielleicht schmollte er, doch sobald Akiko das Zimmer betrat, war diese Wut wie verflogen, und er dachte nur noch daran, mit ihr zu schmusen.

An den Morgen, an denen Akiko kaum Zeit hatte, war es ihr, als versuchte Taro, sein Bedürfnis nach Nähe zu unterdrücken. Dennoch oder vielleicht gerade deswegen lief er dann unruhig murrend im Raum umher.

»Tarolein, Mama geht jetzt arbeiten. Sei brav und warte auf mich, ja?«, sagte Akiko in solchen Momenten zu ihm, nahm ihn an sich und streichelte ihn.

»Maaau, Maaaaaau«, machte Taro dann leise und schmiegte sich zufrieden an sie. Nach einer Weile sprang er von sich aus zu Boden, sah Akiko an und maunzte sie bestimmt an. Akiko übersetzte das immer als: »Es ist gut, geh du jetzt.«

Taro hielt sich zurück und unterstützte sie auf seine Art. Dieses Verhalten rührte Akiko so sehr, dass sie, sobald sie abends in die Wohnung kam, ihre Wange an die von Taro schmiegte und ihn eine Weile knuddelte. Sie hatte ihn schon eine Weile nicht mehr geduscht, und er begann, ein wenig zu riechen, aber selbst diesen Geruch liebte sie. Taro schnurrte glücklicher denn je mit weit geöffneten Nüstern. Bis Akiko schlafen ging, wich er nicht von ihrer Seite. Wie er es doch liebte, in ihr Bett zu springen und in ihrem Arm einzuschlummern.

Auch wenn Taro mit ihr wohnte, hatte sich unten im Café noch nie jemand über Katzenhaare beschwert. Da passte Akiko ganz besonders auf. Zu den beigefarbenen Schürzen, die Shima-chan und sie trugen – das hatte Akiko entschieden –, gehörten ein weißes Hemd und schwarze oder dunkelblaue Hosen, auf denen man jedes Katzenhaar sofort erkennen würde. Vor der Schicht prüften sie sich gegenseitig von Kopf bis Fuß, und wenn eine ein Katzenhaar entdeckte, zupften sie es sofort mit einem Klebeband weg. Wie das sorgfältige Abwischen der Küchenfläche war auch das ein fester Teil ihrer Arbeitsroutine: Sie stellten sich in eine Ecke, die man vom Cafébereich nicht sah, und entfernten sich gegenseitig mit Klebeband oder einem Kleiderroller die Katzenhaare von den Kleidern.

Eines Tages kam eine feine, leise sprechende Frau mit ihrem etwa fünfjährigen Sohn ins Café. Sie bestellte ein Sandwich aus Naturteig.

»Mein Sohn und ich essen es zusammen. Ist es in Ordnung, wenn ich nur eins bestelle?«, fragte sie.

»Aber selbstverständlich«, sagte Akiko lächelnd.

Doch die Frau fragte gleich weiter: »Auf dem Schild steht, das Brot sei aus biologischem Weizen gemacht. Stimmt das?«

Akiko verschlug es für einen Moment die Sprache, doch dann fasste sie sich.

»Das ist richtig«, gab sie nickend zur Antwort.

»Na ... dann ...«

Fast unmerklich kam Shima-chan und reichte Akiko eine Broschüre der Fabrik, von welcher sie das Brot hatten. Als Akiko sie der Frau zum Lesen gab, schien sie endlich erleichtert. »Verstehe, danke«, sagte sie. Doch als Akiko schon in die Küche zurückgehen wollte, hielt sie die Frau noch einmal zurück: »Und das Gemüse? Ist das auch unbehandelt?«

»Nur zum Teil. Einiges wurde mit einer begrenzten Menge von Pestiziden behandelt.«

Die Frau schluckte. »... und welche sind das? Ist beim heutigen Menü auch behandeltes Gemüse dabei? Und das Fleisch, ist das von Hühnern, die mit Antibiotika oder Ähnlichem behandelt wurden? Falls ja, wäre das schwierig ...«, die Worte kamen ihr wie ein einziger Schwall. Ihr Gesichtsausdruck hatte sich verfinstert.

»Haben Sie eine Allergie?«, fragte Akiko, aber die Frau schüttelte den Kopf. »Nein, das nicht. Ich möchte einfach nicht, dass mein Sohn bedenkliche Dinge zu sich nimmt ...«

Akiko holte von der Frau unbemerkt tief Luft und sagte: »Das Fleisch stammt von Hühnern aus Freilandhaltung, die weder Antibiotika noch gentechnisch verändertes oder mit Pestiziden behandeltes Futter erhalten«, sagte sie und erklärte der Frau, noch bevor sie fragen konnte, wie es um die Butter, das Öl, das Salz und den Zucker bestellt war, die sie im Café verwendeten.

»Ja, wenn das so ist ...«, sagte die Frau mit zitternder Stimme und schwieg einen Moment.

»Können Sie mir Ihr unbehandeltes Gemüse nennen?«, fragte sie dann und kramte dabei einen Block und einen Stift aus einer Stofftasche mit abgewetzten Rändern.

»Natürlich. Einen kleinen Moment«, sagte Akiko und holte aus einer Schublade in der Küche ihre Einkaufsliste hervor. Prüfend überflog sie die Gemüsesorten. »Ganz unbehandelt sind der Brokkoli, die Möhren, der Eisbergsalat und die Tomaten. Die Avocados sind dagegen behandelt, der Soja und die Zwiebeln nur teilweise.«

»Tak-kun«, sagte die Frau, die zu Ende notiert hatte, todernst und mit strenger Miene zu ihrem Sohn, »die Avocados, die Böhnchen und die Zwiebelchen lässt du auf dem Teller, ja? Mama isst sie dann für dich.«

Akiko bemerkte, wie die anderen Gäste verstohlene Blicke zum Tisch der Frau warfen.

»Passt das so?« Akiko bedankte sich und ging zurück in die Küche. Dort war Shima-chan bereits dabei, das Mise en Place für die beiden vorzubereiten. In ihrem Blick lag etwas auffallend Ruhiges, als wollte sie Akiko etwas sagen, aber darüber würden sie später in einer Verschnaufpause sprechen. Akiko bereitete die bestellte Suppe und das Sandwich vor, legte zwei Bestecksets und ein zusätzliches Schälchen auf das Tablett und ließ es Shima-chan der Frau mit dem Jungen zum Tisch bringen. Der Junge zappelte freudig mit den Beinen und wollte gerade nach dem Chicken-Sandwich greifen, als ihn die Mutter zurechtwies. »Nein, Tak-kun, nein! Du musst zuerst die Hände sauber machen, habe ich dir das nicht gesagt?!« Sie holte ein baumwollenes, feuchtes Reinigungstuch hervor und putzte dem Jungen penibel beide Hände. Dabei sagte sie zu ihm: »Du musst noch warten, Mama muss erst die Avocado herausnehmen.« Aber der Junge hatte bereits nach dem Sandwich gegriffen und nahm einen großen Bissen. »Haaalt! Tak-kun!«, schrie die Frau hysterisch, sie wirkte richtig niedergeschlagen. »Ich sagte doch, du sollst warten! Diese Avocado ist mit Pestiziden behandelt! Warum machst du so etwas?« Ungestört verputzte der Junge genüsslich sein Sandwich, während seine Mutter jetzt verzweifelt begann, die Zwiebeln, die ganz weich gekocht und schon fast nicht mehr zu erkennen waren, mit der Gabel aus der Suppe zu fischen und in die kleine Schale zu befördern. Am Ende hatte der Junge fast alles selbst aufgegessen, die Mutter hatte gerade einmal einen Bissen des Sandwichs und die Sojabohnen und die Zwiebeln abbekommen. Die Tatsache, dass ihr Sohn chemisch behandeltes Gemüse geschluckt hatte, schien sie so mitzunehmen, dass sie auch beim Bezahlen an der Kasse noch einmal verächtlich zischte: »Mein Sohn hat jetzt tatsächlich sehr viel Avocado gegessen, tja.«

Auch an diesem Tag gingen ihnen schon früh die Zutaten aus, und sie ließen bereits um fünf Uhr abends den Rollladen herunter. Als sie sich drinnen bei Tee und Kaffee eine Verschnaufpause gönnten, erinnerte sich Shima-chan aufgebracht an die beiden Gäste vom Mittag.

»Wie frech war diese Frau denn! Das klang ja so, als würden wir den Leuten hier nur irgendwelches dubioses Zeug auftischen.«

»Wenn's ums Essen geht, sind manche Menschen sehr empfindlich, da kann man wohl nichts machen.«

»Aber in dem Maße?! Wenn sie sich so stört, soll sie es doch gleich lassen, auswärts zu essen!«

Akiko lauschte Shima-chan schmunzelnd. Ja, auch sie hätte nie gedacht, dass man sie jemals darum bitten würde, sämtliche unbehandelte Gemüsesorten in ihrem Sortiment aufzuzählen. Etwas zu verkaufen, das die Leute ihrem Körper zufügten, brachte eine unglaubliche Verantwortung mit sich. Ein kleiner Fehler genügte und ein Menschenleben konnte auf dem Spiel stehen. Akiko schauderte es, als sie sich dessen bewusst wurde, obwohl sie keine edlen Gängemenüs zubereitete. Es wäre schlimm, wenn gesundheitsschädliche Bakterien in ihre Gerichte gerieten. Akiko war sonnenklar, dass sie ihre Arbeit mit höchster Verantwortung machen musste.

»Pestizide hin oder her, Shima-chan, sobald es draußen wärmer wird, müssen wir bei der Suppe vorsichtig sein. Sie kann sehr rasch verderben ... Wenn du irgendetwas bemerkst, das dir komisch vorkommt, nimm es nie auf die leichte Schulter und sag mir immer Bescheid, ja?«

Shima-chan nickte stumm. Das Verhalten der Frau am Mittag hatte sie merklich geschockt, doch hatte sie bestimmt auch dazugelernt. Es gab eben verschiedene Menschen auf dieser Welt. Akiko könnte ja auch lügen und zum Beispiel behandeltes Gemüse als unbehandelt ausgeben und den Gästen damit den Raum zum Zweifeln und Fragen nehmen. Doch sie wünschte sich, dass ihre Gäste zu ihr und dem Café Vertrauen aufbauen konnten. Und das war ihr bislang auch gelungen.

»Da können wir wirklich dankbar sein«, meinte sie zu Shima-chan. »Uns, die doch eigentlich noch so wenig Ahnung haben, vertrauen sie und kommen immer wieder.«

»Ja, aber trotzdem ... das Verhalten dieser Frau ging zu weit! Sie hat uns doch gar nicht vertraut«, brummte

Shima-chan und wurde ihren Ärger einfach nicht los. »Aaah, wenn man sich zwischendurch mal ordentlich aufregt, wird einem richtig warm. Offenbar hat das meine Durchblutung angeregt …«, sagte sie und trank ihre Tasse Tee und ihre Tasse Kaffee aus. Dann warf sie einen Blick auf die Primadonnen, schwang groß die Arme und zeichnete in der Luft mehrmals einen Baseballwurf ab.

4

Das Café lief großartig. Es gab sogar Gäste, die von weit her kamen und erzählten, dass sie durch die vielen Twitter- und Blogbeiträge vom Café gehört hätten. Akiko, die sich damit nicht sehr gut auskannte, lächelte nur jedes Mal verlegen.

Einmal kam eine ältere Frau in den Laden und fragte, was das denn für ein Café sei, da stünden immer so viele Leute an. Doch als sie nach Akikos Erläuterung merkte, dass die Menüs nicht so günstig waren wie in einem Schnellimbiss, winkte sie ab. »Das ist aber ein teures Vergnügen hier«, sagte sie und ging gleich wieder.

Shima-chan, die das Gespräch von einer Ecke des Cafés aus beobachtet hatte, rief am Abend nach Ladenschluss aus: »Wie unverschämt! Steht ja alles auf der Tafel draußen, die Dame hätte vielleicht mal richtig lesen sollen …« Dass Akiko immer alles so ruhig über sich ergehen ließ, schien sie offenbar erst recht wütend zu machen.

»Vielleicht ist es auch von uns nicht nett, zu erwarten, dass die Leute die Tafel lesen, nur weil sie vor dem Laden steht«, entgegnete Akiko nachdenklich. »In letzter Zeit habe ich mir schon häufiger gedacht, dass es überheblich ist, so zu denken. Wenn ich einmal, ohne die ausgehängten Informationen zu bemerken, in einen Laden gehe und den Besitzer dies und das frage, fühle ich mich auch nicht gut, wenn dieser mich verärgert anblickt und mir zu verstehen gibt, dass doch alles draußen geschrieben steht. Ich glaube, wir sollten unsere Ladentafel nicht zu wichtig nehmen und sie einfach als kleine Information sehen, für diejenigen, die sie bemerken.«

»Hm, ja, das stimmt schon. Schließlich kommen sie alle extra zu uns.«

Akiko mochte diese ungekünstelte Art von Shima-chan und musste lächeln, als diese dennoch leise murrte:

»Aber diese Frau hat sich nicht nett verhalten ...«

Gegen Ende jedes Monats stand die Buchhaltungsarbeit an. Akiko musste die Rechnungen für die Zutaten und Shima-chans Lohn bezahlen. Als Dank für Shima-chans großen Einsatz in diesem halben Jahr beschloss sie, ihr den Lohn etwas zu erhöhen. Als sie es ihr sagte, schien diese überglücklich, nahm Haltung an und erklärte mit fester Stimme, wie ein junger Baseball-Champion, der seinen Eid ablegt: »Ich werde auch von nun an mein Bestes geben!« Selbst überglücklich und auch ein wenig stolz, dass sie Shima-chan damals richtig eingeschätzt hatte, verschob Akiko lächelnd die Kügelchen des Abakus, mit dem sie auch heute noch weitaus schneller rechnen konnte als mit einem Taschenrechner.

Bloß wurde das Geld, wie schnell sie auch rechnete, leider nicht mehr, das war ein Problem. Aber da für das Café dankenswerterweise keine Miete anfiel und sie nur Shima-chan Lohn auszuzahlen hatte, hielt sich dieses Problem in Grenzen, und sie kam irgendwie über die Runden. Natürlich verdiente sie jetzt weniger als damals im Verlag, aber es war nicht so, dass ihr das Wasser bis zum Hals stand.

»Trotzdem, das geht so nicht ... Ich will doch auch Shima-chan besser bezahlen können ...«, murmelte sie, und als hätte er angenommen, dass die Worte ihm galten, antwortete Taro mit einem anhänglichen »Miaaaaau« und schmiegte sich an Akikos Bein.

»Das liegt auch daran, dass du so gefräßig bist«, sagte Akiko und hob ihn liebevoll auf ihre Knie. Er begann genüsslich zu schnurren, als sie seinen Kopf kraulte.

Als sie noch jünger gewesen war, hatte sie sich am liebsten parfümfreie Kosmetikartikel gekauft, doch in letzter Zeit hatte sie eine Vorliebe für Natur-Kosmetika mit zarten, natürlichen Düften entwickelt. Auch für das abendliche Bad benutzte sie im Wechsel Badesalz mit Lavendel- oder Rosenduft oder das Salz, das nach grünem Laubwald roch, welches sie sich neulich spontan gekauft hatte. Sobald sie in der heißen Badewanne saß, entfuhr ihr ein lautes Seufzen. Akiko musste daran denken, wie sie dieses Geräusch im öffentlichen Bad immer von alten Männern gehört hatte, offenbar war sie kurz davor, selbst so jemand zu werden ... Sie atmete den feinen Duft ein, der ihr mit dem Dampf in die Nase stieg, und fragte sich, ob ihr Körper vielleicht nicht mehr so gut roch und sie deshalb das Bedürfnis nach neuen Düften verspürte. Akiko saß gedankenverloren in der Wanne, als Taro vor der halb durchsichtigen Tür zum Bad auftauchte und so laut wie er konnte und viel süßer, als es eigentlich zu seinem Körper passte, miaute. Der Kater hatte den ganzen Tag auf Akiko gewartet und konnte sich kaum halten, mit ihr zu schmusen, und nun befand er sich wieder allein im Wohnzimmer. Das gefiel ihm natürlich gar nicht, also setzte er sich jedes Mal vor die Badezimmertür und beklagte sich.

»Ja, warte noch einen kleinen Moment, Taro-chan. Ich

komme sofort!«, rief Akiko ihm dann immer zu. Nur einmal hatte sie ihm probeweise die Tür aufgemacht. Taro war zwar unglaublich neugierig hereingekommen, aber als er den nassen Boden betrat, hatte er bloß abwechselnd alle Pfötchen geschüttelt und war schnell wieder hinausgesprungen. Von da an blieb er immer vor der Tür und miaute ununterbrochen. Wenn Akiko aus dem Bad kam, stand Taro immer auf und lief – scheinbar beruhigt – einfach davon. Wie oft hatte er Akiko mit diesem allzu abweisenden Verhalten schon vor den Kopf gestoßen. Doch vielleicht genügte ihm nur schon die Vergewisserung, dass sein Frauchen unversehrt war. In letzter Zeit hatte Akiko gemerkt, dass sich Taros Verhalten nicht änderte, auch wenn sie fünf oder zehn Minuten länger in der Wanne blieb. Daher ließ sie sich von Taros bekümmertem Miauen vor der Tür nicht mehr so berühren und genoss ihr ausgiebiges Bad.

Doch wie sehr sie sich in der Wanne auch bis zu den Zehenspitzen räkelte und entspannte, dachte sie auch dort immer wieder über die Zukunft des Cafés nach. In der Einkaufsstraße gab es einen Ladenbesitzer, der ein Gespür dafür hatte, was bei den Leuten gerade angesagt war, und seinen Laden immer wieder umgestaltete, doch Akiko spürte, dass ihr diese Art des Geschäftemachens nicht lag. Jener Besitzer hatte lange Jahre einen Gemischtwarenladen geführt, der nicht gut lief. Dann wurden in einem Kimono-Boom plötzlich alte Kimonos aus zweiter Hand Mode. So entsorgte er alle seine kitschigen Taschentuchbox-Hüllen und geblümten Hausschuhe und hängte in seinem Laden stattdessen dicht an dicht alte Kimonos und Haoris auf. Er verkaufte sie für ein Schnäppchen von 1.000 oder 2.000 Yen, und sie gingen weg wie frische Brötchen. Die übrigen Kimonos stellte er in Kartons vor die Tür und verschleuderte alles für 300 Yen das Stück. Danach verkaufte er handgefertigte Kunstwaren, machte in der darauffolgenden Phase ein Café auf und verkaufte heute in der einen Hälfte des Ladens zusätzlich noch diverse Fair-Trade-Artikel wie Schals oder Körbe, die bei jungen Frauen gerade sehr beliebt waren. Akiko war gespannt, was als Nächstes kommen würde, und doch schüttelte sie den Kopf. Sie sollte sich jetzt zunächst einmal Gedanken um ihr eigenes Café machen. Wenn sie nämlich ihre Gäste so ansah, fiel ihr auf, dass sich alle irgendwie ähnelten. Wo gleich nach der Eröffnung noch die verschiedensten Leute zum Essen kamen, schienen ihre Gäste in letzter Zeit alle den gleichen Kleiderstil zu haben. Von Anfang an machten Frauen den großen Teil aus, doch seit einiger Zeit sahen sie alle aus, als hätte man sie aus ein und derselben Öko-Zeitschrift ausgeschnitten. Es war ein gewisser Typ Frauen, die auch im Winter mehrere Schichten Leinen zu Leggings trugen und immer lässig einen Schal um den Hals hatten. Akiko hatte noch nie schlecht über diese Frauen gedacht, im Gegenteil, sie brachten beim zweiten Besuch oft ihre Freunde mit ins Café, dafür war Akiko ihnen sehr dankbar. Es waren genau diese Gäste, die begeistert Fotos vom Café und von den einzelnen Gerichten machten und sie im Internet verbreiteten. Wie Shimachan gesagt hatte, zahlten sie Akiko Geld und machten darüber hinaus auch noch gratis Werbung für sie. Aber Akiko begann sich zu fragen, ob das so in Ordnung war ... Ihr war klar, dass ihr Café nicht für jedermann war. Aber war es gut, wenn sich die Kundschaft so sehr auf eine bestimmte Gruppe beschränkte?

Einige Male erhielt Akiko sogar Anfragen von Zeitschriften, die über das Café berichten wollten. Es waren alles Zeitschriften für Nachhaltigkeit oder fair gehandelte Mode, ganz im Stil ihrer Gäste. Ein Bericht in einer Zeitschrift wäre zwar großartig, doch irgendetwas ließ Akiko jedes Mal zögern, und sie lehnte alle Anfragen ab. Unter den Journalisten gab es natürlich aber auch solche, die nicht so schnell aufgaben und dazu noch merkwürdig viel über Akikos Privatleben wussten.

»Sie haben doch davor als Lektorin gearbeitet, richtig?«, wollte einer etwa wissen. Als Akiko sich erkundigte, woher er das wusste, meinte er nur: »Ach, das stand in einem Blog.«

Dinge, die Akiko ihren Gästen einmal beim lockeren Plaudern erzählt haben musste, waren nun also eins zu eins in jenen Blogs zu finden.

»Ich würde gerne erfahren, was Sie dazu bewogen hat, einen neuen Weg einzuschlagen, und was Ihnen dabei schwergefallen ist. In letzter Zeit gibt es ja viele junge Frauen, die erwägen, einen eigenen Laden aufzumachen ...«

Akiko sagte, dass es keinen nennenswerten Grund gegeben hatte, und wies den Journalisten freundlich zurück. Aus der Zeit im Verlag wusste sie nur zu gut, wie mühsam es sein konnte, solche Anfragen zu stellen, doch ihr war einfach nicht danach, ihm Rede und Antwort zu stehen.

Oder war es etwa überheblich, wie sie dachte? Als sie noch im Verlag arbeitete, hatte sie einmal im Fernsehen gesehen, wie der Besitzer eines Ramen-Restaurants sich damit brüstete, dass es bei ihm nicht die Gäste seien, die sich für seinen Laden entschieden, sondern dass er sich seine Gäste aussuchte. Gäste, die er nicht mochte, schickte er wieder hinaus. Einige Aufsässige unter ihnen kamen wieder und wieder, bis er ihnen endlich die »Erlaubnis« gab, bei ihm zu speisen. Gäste, die er ohne Weiteres hereingelassen hatte, fühlten sich überlegen, wenn sie beobachteten, wie andere den Laden wieder verlassen mussten. Akiko erinnerte sich, dass ihr ganz komisch wurde, als sie das sah. Was konnte der Grund für eine solche Haltung sein? Dieser Inhaber hatte doch einfach nur ein riesiges Problem mit seinem Selbstwertgefühl. Sei es wegen der Stimmung oder aufgrund der Einrichtung, bei jedem Restaurant gingen die Geschmäcker der Leute auseinander. Akiko hatte von Beginn an eine konkrete Vorstellung gehabt, wie ihr Café aussehen sollte: fast etwas übertrieben schlicht und eingerichtet nach dem Vorbild eines klösterlichen Speisesaals. Aber sie hatte sich nie ausgemalt, welche Gäste das Café aufsuchen würden. Jeder, der ihre Gerichte mochte und sich im Café wohlfühlte, war herzlich willkommen. Dann aber begann auf einmal immer der gleiche Typ Mensch ihr Café aufzusuchen. Akiko tat es mehr und mehr leid, dass sie die Stammgäste ihrer Mutter ausgeschlossen hatte. Auch wenn sie keinen Fernseher, keine Zeitungen oder Magazine im Restaurant hatte, hätte sie dafür sorgen sollen, dass sich die ehemaligen Stammgäste auch willkommen fühlten. Am Anfang hatte sie alles, was einen an die Stimmung des Lokals ihrer Mutter erinnerte, tilgen wollen. »Ich bin anders als meine Mutter!«, hatte sie sich gebrüstet, wo sie nur konnte. Doch in letzter Zeit fragte sie sich abends zu Hause immer öfter, ob das so richtig gewesen war. Wenn sie nach dem Baden Taro auf ihre Knie nahm und ihn streichelte, rückten diese Gedanken für einen Moment weit weg, doch sie wusste, dass sie eine Antwort für sich finden musste. Wenn sie ins Bett stieg und Taro sich auf ihren Arm legte, schlief dieser immer sofort ein und schnarchte beruhigt. Herzerweichend drückte er seinen kleinen Körper an Akiko, als wollte er seiner Forderung Nachdruck verleihen, wenigstens beim Schlafen nicht allein sein zu müssen.

Akiko musste an das Lokal ihrer Mutter denken. Es war ein allzu typisches kleines Restaurant im Stil der Shōwa-Zeit des vergangenen Jahrhunderts gewesen, in dem es nichts Ausgefallenes gegeben hatte. Ihre Klientel hatte aus Stammgästen und ab und zu ein paar Studenten oder jungen Paaren bestanden. Sporadisch auch einmal Frauen, die zu zweit kamen. Akiko erinnerte sich, dass ihre Mutter einmal erwähnt hatte, dass achtzig Prozent der Gäste Männer waren, die gerne herzhaft aßen. Oder wie sie einmal meinte: »In der Regenzeit, wenn die Luftfeuchtigkeit so unerträglich ist, sind die Sojasoßen und Gewürze auf den Tischen viel schneller alle.«

Der Service ihrer Mutter war klar auf die männliche Klientel ausgerichtet. Akiko konnte nicht anders, als hier einen Zusammenhang mit ihrer eigenen Geburt zu sehen, und verabscheute die Art, wie ihre Mutter Männer bevorzugte. Studenten, die nach ihren Klubaktivitäten ins Lokal kamen und trotz der Uniform, die sie trugen, aussahen, als wären sie bis auf die Knochen noch immer voller Staub und Sand, tischte Akikos Mutter voller Freude ein großes Tonkatsu-Schnitzel mit einer extragroßen Portion Reis auf und sagte: »Esst, meine Lieben. Bei uns gibt's

Mannschaftsrabatt.« Dann zog sie ihnen heimlich noch zehn Prozent ab, obwohl es in ihrem Lokal ein solches System gar nicht gab. »Kayos Küche« war ein richtiger Vorzeigeimbiss eines gewöhnlichen kleinen Stadtviertels gewesen.

In Akikos Café waren die Gäste hingegen zu neunzig Prozent Frauen. Die Männer, die herkamen, waren entweder die Partner der weiblichen Gäste, gelegentlich kamen auch modisch gekleidete schwule Pärchen. Die Späher aus dem Service-Business zählte Akiko nicht dazu. Akiko war zwar noch nicht lang im Geschäft, aber bei den vielen Menschen, die sie täglich im Café beobachtete, erkannte sie solche Leute mittlerweile sofort. Die Frauen waren immer schlicht und konservativ gekleidet, die Männer trugen einen Anzug. Solche Männer waren unter Akikos Gästen so gut wie nie anzutreffen. Man sah diesen Leuten gleich an, dass sie nicht gekommen waren, um das Essen zu genießen; konzentriert nickten sie einander zu, zückten ihre Agenden hervor und machten sich Notizen.

Wie auch immer, Akiko war allen dankbar, die sich für ihr Café interessierten. Aber wenn sie so darüber nachdachte, hatte das Lokal ihrer Mutter, das tagein, tagaus immer gleich war, eine viel buntere Kundschaft gehabt als ihr Café. Was war eigentlich Akikos Ziel gewesen? Sie überlegte ...

Ein Café mit einem erfrischend schlichten Design, in dem man einfache Menüs mit hochqualitativen, gesunden Zutaten genießen kann, ein Ort, an dem die Gäste Lust haben, wiederzukommen.

Ja, nur das. Das war alles gewesen, was sie wollte, und nun hatten sich ihre Gäste zu einer so eigenen Gruppe entwickelt. Wie es die Stammgäste damals konstatierten, herrschte im Café keine entspannte Atmosphäre, die Menükarte war klein und die Preise vergleichsweise hoch.

»Vielleicht kann man da nichts machen …«, flüsterte Akiko in die Dunkelheit, während sie sich im Bett zu Taro auf die Seite drehte. Dieser schnarchte, ohne sich zu rühren, wohlig weiter.

Akiko hatte nie groß recherchiert, wie sie mehr Gäste anlocken konnte. Klar musste sie schauen, dass das Geschäft lief, aber ein gut frequentiertes Lokal war nie ihr Ziel gewesen. In wirtschaftlich schwierigen Zeiten erhielten immer diejenigen Restaurants Zulauf, die für wenig Geld große und meist kräftig gewürzte Speisen auftischten. Leute, die solche Lokale aufsuchten, machten sich wohl eher weniger Gedanken über Zusatzstoffe oder über die Qualität der Zutaten. Menschen, die sich dafür interessierten, was in ihrem Essen steckte, und nicht auf jeden Yen achten mussten, suchten sich dagegen Restaurants aus, in denen mit natürlichen Zutaten gesund gekocht wurde, auch wenn es eben etwas mehr kostete.

»Und mein Café ist irgendetwas dazwischen …«, dachte sich Akiko. Ihre Lunch-Menüs waren nicht gerade billig, aber auch nicht wirklich teuer, und sie hatte nicht vor, etwas an den Preisen zu ändern. Zusammenfassend könnte man vielleicht sagen: »Ein normales Café, das doch etwas Besonderes an sich hat.« … Ob es gerade das war, das ihre Kundschaft so einförmig machte? Während sie so hin und her überlegte, wurden ihre Augenlider plötzlich schwer, und bevor sie entscheiden konnte, ob sie eingeschlafen war oder nicht, wurde es schon wieder hell.

Da es Akiko einfach nicht losließ, rief sie am nächsten Morgen die Kochmeisterin an.

»Haben Sie das Gefühl, dass man Sie zum Teil eines Trends gemacht hat?«, fragte diese, als sie gleich nach Ladenöffnung ins Café kam und sich Akikos Geschichte angehört hatte.

»Ja, vielleicht ... offenbar war mein Konzept doch nicht so gut.«

»Das würde ich nun nicht sagen. Unbeabsichtigt haben Sie anscheinend zur richtigen Zeit den Nerv der Leute getroffen, die Cafés in solchem Stil mögen.«

»Scheint so ...«

»Aber dass die Gäste am laufenden Band herkommen, ist doch wundervoll! Das Wichtigste ist, dass Sie selbst nicht ins Wanken kommen. Wie ich das meine, können Sie am besten beurteilen. Bleiben Sie sich treu, Akiko. Dann wird alles gut werden. Und wenn Sie gerade Teil eines Trends sind, schön!« Akikos alte Lehrerin lachte. »Die meisten Betriebe raufen sich die Haare, wie sie mehr Kunden anlocken können. Ihre Sorgen sind ein Klagen auf sehr hohem Niveau!«

Akiko fühlte sich leichter. Es war gut, einmal alles aussprechen zu können, das so lange in ihr rumort hatte. Als sie Shima-chan davon erzählte, verstand diese sogleich. »Stimmt, unsere Gäste sehen wirklich alle ein wenig gleich aus ...«, nickte sie. »Gerade gibt es ja so viele Trends gleichzeitig. Da gibt's diejenigen mit den dicken künstlichen Wimpern und den aufwendig gelockten Haaren oder dann solche, die fast gar keine Schminke tragen und auf Dinge aus natürlichen Materialien stehen. Aber alle sehen aus wie aus irgendeiner Zeitschrift. Sehr selten begegnet man Originalen, die einfach sie selbst sind. Deshalb ist das, was im Café passiert ist, vielleicht unvermeidlich. Ich als Mode-Laie staune jedes Jahr, wie die es alle schaffen, immer mit den neuesten Trends mitzugehen. Ich kann das nicht, da wird mir manchmal richtig schwindelig.« Shima-chan schüttelte fest den Kopf. Sie trug Kleidung, die eher in Männerzeitschriften vorkam, und sagte, dass sie diese auch mehr interessierten. »Männer-Mode wird irgendwie viel weniger von diesen ganzen Strömungen beeinflusst. Das ist beruhigend«, erklärte sie. »So groß wie ich bin und auch nicht wirklich weiblich vom Typ her, bin ich eigentlich schon seit meiner Studienzeit immer auf diesem Kurs geblieben.«

›Immer auf diesem Kurs geblieben‹, Akiko musste über diesen Ausdruck schmunzeln. Shima-chan trug immer Hosen und Sneakers und war eher burschikos gekleidet, gleichzeitig hatte ihr Stil auch etwas Schickes, Reizvolles an sich. Als Akiko sie fragte, wo sie ihre Kleider so kaufe, meinte sie, das meiste seien Männerkleider aus dem Secondhand-Laden.

»Immer auf dem Kurs bleiben ... das ist wohl wichtig. Ja, das ist bestimmt wichtig.«

Wie dankbar Akiko Shima-chan für diesen Denkanstoß war.

»Nach einer Weile bekomme ich wieder totale Lust auf eines Ihrer guten Sandwiches«, hörte Akiko immer öfter von ihren Kunden. Für sie und Shima-chan war es seit Wochen richtig anstrengend. Da sie den Laden am Abend schlossen, war das Café die ganze Woche über geöffnet, und so tat Shima-chan Akiko immer mehr leid. Vielleicht sollte sie doch einen Ruhetag einführen ... Als sie gedankenversunken vor das Café trat, kam im selben Moment zufällig auch die Madame aus der Tür des alten Cafés.

»Du, Aki-chan, warum hast du abends geschlossen, so gut wie dein Laden läuft?«, fragte sie. »Sag bloß nicht, ihr seid zu wenig Leute; wenn du am Abend öffnest, kannst du dir eine zweite Mitarbeiterin leisten, glaub mir.«

»Nein, ich überlege mir gerade, einen Ruhetag einzuführen ...«

»Wie?«, fiel ihr Madame ungläubig ins Wort. »Statt länger zu öffnen, willst du den Laden noch öfter schließen? Du liebe Güte, das Geschäftemachen liegt dir aber wirklich nicht«, erklärte sie und hielt Akiko einen langen Vortrag über die ehernen Gesetze des Handels. »Verpasse keine Chance; wenn du die Möglichkeit hast, Geld zu machen, dann scheue kein Opfer und hole rein, was du nur kannst!«, war die Quintessenz.

»In meinem Café wurde ich damals fast überrannt, weißt du noch, Aki-chan? Pausenlos kamen Gäste, da habe ich mich abgeschuftet ... Hatte auch mehrere Angestellte. Und weil ich nicht mit ansehen wollte, wie mir andere Cafés die Kunden stehlen, ging ich durch die Bücher und recherchierte, wie ich zum selben Preis noch besseren Kaffee, noch geschmackvolleren Tee machen konnte. Und dann kommen ja noch die ganzen Unkosten dazu. Und um all das zusammen zu meistern: Hier.« Stolz klopfte sie sich auf ihren gebeugten Oberarm. Ja. Die Cafébesitzerin hatte bestimmt auf ihre eigene Art viel nachgedacht und recherchiert und ihr Bestes gegeben. Wenn sie das nicht getan hätte, gäbe es das alte Café gegenüber jetzt wohl nicht mehr.

»Es gibt immer wieder Phasen, in denen lauter ähnliche Gäste kommen. Bei mir waren es einmal alleinstehende ältere Menschen, die, statt zu Hause für sich allein zu kochen, gerne bei mir frühstücken kamen. Alte Leute können nicht mehr so gut beißen, deshalb habe ich die Salatblätter kleiner geschnitten als sonst. Und auch die Würstchen möglichst gut kaubar serviert. Oft habe ich die alten Frauen und Männer auch direkt gefragt, wie sie es am liebsten haben möchten, ob sie es gerne gut gewürzt hätten oder lieber nicht. Sie hatten alle unterschiedliche Vorlieben und die habe ich mir gut gemerkt. Hach, diese Leute sind jetzt alle tot. Jedenfalls ...«, sagte sie und tippte sich dieses Mal an den Kopf, »... habe ich auch sehr viel hiermit gearbeitet.«

»Es fordert bestimmt viel, seinen Laden über so lange Jahre hinweg zu führen.«

»Oh ja!«, nickte die Madame stolz. »Wie viele Geschäfte sind in dieser Einkaufsstraße schon eingegangen! Man darf nie denken: Jetzt ist gut! Es ist ein ständiges Dazulernen. Also, dann!« Wie immer beendete sie die Unterhaltung, ohne eine Reaktion von Akiko abzuwarten, und ging schnurstracks wieder in ihren Laden. Dass sie auch während der Öffnungszeiten ihres Cafés einfach auf die Straße kommen und mit Akiko plaudern konnte, hieß wohl, dass das Geschäft nicht mehr so gut lief wie früher. Sie hatte zwar eine etwas anstrengende und aufdringliche Art, aber am Ende des Tages war sie

Akiko in der Führung eines Restaurants weit voraus, und sie konnte viel von ihr lernen.

Akiko saß gerade mit Shima-chan in der Küche, nachdem sich die große Hektik der Mittagszeit etwas gelegt hatte, als eine etwa siebzigjährige vornehme Dame zur Tür hereinkam, was sehr selten vorkam im Café. Sie blieb inmitten des Raums stehen und schaute sich verwundert um. Als Shima-chan mit dem Menü auf sie zuging und sie willkommen hieß, beobachtete Akiko, wie die Dame sie etwas fragte. Zurück in der Küche berichtete Shima-chan: »Die Dame heißt Tanaka mit Nachnamen und fragt, ob hier das Restaurant von Kayo-san sei.« Sie musste Akikos Mutter meinen. Akiko ging auf sie zu und begrüßte sie: »Ich bin Kayokos Tochter. Sind Sie vielleicht eine alte Bekannte von ihr?«

»Ach, Sie sind die Tochter? Sie gleichen Ihrer Mutter aber überhaupt nicht«, sagte die Dame freundlich und lächelte hinter ihrer an den Mund gehaltenen Hand.

»Ja, das höre ich oft.«

»Und Kayo-san? Ist sie hier?« Die Dame reckte sich und spähte über Akikos Schultern hinüber zur Küche.

»Bitte, setzen Sie sich doch.« Akiko führte sie zu einem freien Tisch, fragte sie, ob sie hungrig sei, und schickte dann Shima-chan, um ihr von gegenüber einen Kaffee zu holen.

»Es tut mir sehr leid, dass Sie extra vorbeigekommen sind, aber meine Mutter ist leider verstorben.«

Die Dame nahm erschrocken ihre Tasse von der Lippe. »Ich hatte ja keine Ahnung!« Mit weit geöffneten Augen fragte sie Akiko bis ins letzte Detail über den Tod ihrer Mutter aus. Akiko entschuldigte sich, dass sie sich nicht gemeldet hatte, und erklärte, dass ihre Mutter in ihrem Adressbuch keine einzige Adresse von Freunden notiert hatte.

»Dabei hatten wir nur drei Jahre Altersunterschied, und ich bin so quickfidel ... Es tut mir sehr leid«, sagte die Dame mitleidvoll. Dann nippte sie eine Weile lang schweigend an ihrem Kaffee.

»Als ich jung war, haben wir zusammengearbeitet. Wir waren nicht sehr eng befreundet, aber eines Tages war sie auf einmal verschwunden, und dann habe ich mich erkundigt und über Ecken erfahren, dass sie geheiratet hat und in diese Gegend hier gezogen ist. Und eine ganze Weile später habe ich gehört, dass sie jetzt ihr eigenes kleines Restaurant hat. Ich hatte selbst viel um die Ohren, kranke Eltern und dann die Kinder, so bin ich der Sache leider nie mehr nachgegangen. Heute hatte ich in der Nähe zu tun und dachte – entschuldigen Sie die Ausdrucksweise –, wenn ich schon mal da bin, könnte ich ja auch vorbeischauen. Ich brauche eine knappe Stunde von meiner Wohnung bis hierher. Mit dem Alter kann man sich manchmal einfach nicht mehr überwinden, auch wenn man noch so möchte.«

»Das ist sehr rührend, dass Sie nach all den Jahren an meine Mutter gedacht haben. Vielen Dank. Sie hätte sich bestimmt auch gefreut.«

Akiko hatte zu Lebzeiten ihrer Mutter keinen ihrer alten Bekannten oder Freunde kennengelernt. Bestimmt hatte Akikos Mutter, bevor sie hierherzog, bewusst alle Kontakte zu ihrem früheren Leben abgebrochen. Doch irgendwie musste die Nachricht wohl ihren Weg zurück in ihre Heimat gefunden haben.

»Vielleicht sollte man das der Tochter nicht sagen … aber es gingen damals schon sehr seltsame Gerüchte um …«

Akiko ahnte schon, was kam, und beugte sich zu ihr vor. »Was für Gerüchte denn?«

»Dass Kayo-san mit einem Mönch … Sie wissen schon. Sie habe ein Kind von ihm zur Welt gebracht. Aber – haben Sie denn Geschwister?« Tanaka-san hatte den kleinen Finger einer Hand etwas angehoben und sprach auf einmal ganz leise.

»Nein.«

»Dann sind das … Sie? Sie haben eine ganz andere Statur als Kayo-san, und im Gesicht gleichen Sie ihr auch nicht. Aber ich denke, ich denke, es gibt keinen Zweifel daran, dass sie Ihre Mutter ist, oder?«

»Nein, das gibt es nicht.«

»Hat sie Ihnen denn nichts erzählt?«

Warum war Tanaka-san wohl wirklich hergekommen? Gewiss, sie hatte an Akikos Mutter gedacht und wollte sich nach ihrer alten Kollegin erkundigen. Aber gerade versuchte sie durch Akiko herauszufinden, was früher wirklich passiert war und was nicht.

»Das Einzige, was ich weiß, ist, dass mein Vater kurz nach meiner Geburt gestorben ist, sonst hat man mir nichts gesagt.«

»Ach, was Sie nicht sagen. Das war also Kayos Ehemann? Oder etwa dieser Mönch?«, fragte Tanaka-san und legte dabei ihren Kopf zur Seite.

»So genau weiß ich das nicht. Was ich mit Sicherheit sagen kann, ist nur, dass mich meine Mutter ganz allein großgezogen hat.«

»Hm«, Tanaka-san nickte und bohrte eindringlich weiter: »Und dieses Lokal hier, mieten Sie das?«

Als Akiko ihr erzählte, dass sie es von ihrer Mutter übernommen hatte, reagierte sie tief beeindruckt. »Kayo-san hat Ihnen also das ganze Geschäft hinterlassen«, sagte sie und blickte abermals um sich, dieses Mal mit großer Bewunderung. Da bestimmt wieder unangenehme Fragen folgen würden, wenn Akiko ihr erzählte, wie das Lokal ihrer Mutter ausgesehen hatte und wie sie es in ihrem Stil neu gestaltet hatte, ließ sie es bleiben. Aber Akiko war sich sicher, dass Tanaka-san nichts Hinterhältiges im Sinn hatte und nur einfach ihrer puren Neugierde freien Lauf ließ.

Nach etwa zwanzig Minuten betraten vier junge Frauen das Café. Als Tanaka-san dies sah, zückte sie aus ihrer Tasche ein rostrotes Lederportemonnaie. »Dann verabschiede ich mich. Wie viel schulde ich Ihnen denn für den Kaffee?«

»Nein, der geht aufs Haus. Oh, Moment.« Akiko eilte in die Küche und bereitete rasch ein Sandwich zu, welches sie in eine Tüte packte. »Nur eine Kleinigkeit«, sagte sie und überreichte sie Tanaka-san. »Kommen Sie doch wieder vorbei, wenn Sie in der Gegend sind.« Tanaka-san bedankte sich erfreut, meinte, sie würde es zu Hause essen, und verließ das Café. Nach einer Weile kam sie wieder zurück. Als Akiko, besorgt, ob sie etwas vergessen hatte, zur Tür blickte, sah sie, dass Tanaka-san einen kleinen Blumenstrauß im Arm trug.

»Es tut mir leid. Ich wusste ja nicht, dass Kayo-san von uns gegangen ist. Die Blumen sind vom Laden da vorne, würden Sie sie zu ihrem Altar stellen?«, sagte sie und verabschiedete sich abermals.

»Herzlichen Dank«, flüsterte Akiko und verbeugte sich lange, bis Tanaka-san fast nicht mehr zu sehen war.

»Sie war eine alte Arbeitskollegin meiner Mutter und ist extra von weit her gekommen.«

»Sie hatte deine Mutter all die Jahre nicht vergessen«, sagte Shima-chan gerührt.

»Ja, das ist wirklich nett. Ich muss es nachher meiner Mutter erzählen.«

Akiko hatte Shima-chan nie etwas über die Einzelheiten ihrer Herkunft erzählt. Das musste sie nicht wissen. Laut Tanaka-sans Bericht mussten sich in der Heimat von Akikos Mutter wahre und falsche Gerüchte über ihre Mutter gleichermaßen verbreitet haben. Was man glauben wollte, hing von einem selbst ab. Ihre Mutter hatte in der Gewissheit gelebt, dass niemand über ihr neues Leben im Bilde war. Doch in Wahrheit war es ihr nicht gelungen, es geheim zu halten.

Viel spannender als die Geschichte von der heimlichen Heirat, nach der ihre Mutter nicht mehr in der Bar auftauchte, fand Akiko die andere: Sie war die Geliebte eines Mönchs geworden und hatte mit ihm ein Kind gezeugt. Da diese zweite Geschichte tatsächlich der Wahrheit entsprach, folgerte Akiko, dass das Leben doch eigentlich ziemlich spannend war.

5

Nach einem kleinen Mitarbeitergespräch beschloss Akiko, Shima-chans Lohn vorerst einmal nicht noch weiter zu erhöhen und dafür den Mittwoch als Ruhetag einzuführen. Früher hatten in der Einkaufsstraße mehrere Läden mittwochs geschlossen, doch aufgrund der schlechten Konjunktur verzichteten die Geschäfte inzwischen immer öfter auf einen Ruhetag. Obwohl sie das Café zwar nicht bis spätabends geöffnet hatten, war Akiko klar, dass sie und Shima-chan bald einmal den Durchblick verlieren würden, wenn sie so weitermachten. Madame, die ihr eingebläut hatte, sich anzustrengen, würde bestimmt die Hände überm Kopf zusammenschlagen. Akiko hörte sie schon spotten: »So ein Liebhabergeschäftchen hätte ich auch gerne.«

Allerdings fühlte sich Akiko überhaupt nicht wie eine Liebhaberin, sondern vielmehr wie der Knecht ihres eigenen Betriebs. Aber auch Knechte brauchten nun mal ihre Pausen, um ihrem Körper Ruhe zu gönnen und ihren Kopf auszulüften.

Seit Akiko das Café führte, verkam ihre Wohnung immer mehr. Während sie im Café akribisch jedes einzelne Katzenhaar entfernte, schienen ihre Kräfte für die Wohnung einfach nicht mehr auszureichen. Nach Ladenschluss standen die Einkäufe und Vorbereitungen für den nächsten Tag an, und sie brachte es nicht auf die Reihe, danach noch ihre Wohnung bis in jede Ecke sauber zu machen.

Zudem schmiegte sich, kaum kam sie nach Hause, Taro an sie, fest entschlossen, endlich seine lang ersehnte Kuscheleinheit zu erhalten.

»Hey, Kleiner, lässt du mich mal kurz, ich möchte ein bisschen sauber machen.« Sobald Akiko vorsichtig versuchte, ihn von sich zu lösen, grub er sein dickes Köpfchen nur noch tiefer in ihren Pulli und schlang beide Vorderpfoten um ihren Arm.

Ich will bei dir bleiben! – Die Botschaft war klar. Akiko brachte es beim besten Willen nicht übers Herz, Taro mit Gewalt von sich loszumachen. Am Ende blieb sie mit dem Kater auf der Brust liegen, bis sie selbst zu müde wurde, um sich noch zum Putzen aufzuraffen, nahm ein heißes Bad und legte sich schlafen. Um den gröbsten Staub am Boden zu beseitigen, wischte Akiko einmal täglich mit einem Staubmopp durch die Wohnung, dennoch lag inzwischen etwas so Glanzloses, Dumpfes in ihren vier Wänden. Welch ein Unterschied zum Café, in dem es immer aussah, als hätte gerade eine frische Frühlingsbrise durch den Raum geweht. Nein, das ging so nicht weiter, dachte Akiko.

Am ersten freien Mittwoch zwang sie sich früh aus den Federn und riss sämtliche Fenster der Wohnung weit auf. Was sie sah, waren zwar keine grünen Wiesen, sondern die umliegenden Gebäude, doch die frische Morgenluft erhellte ihre Stimmung. Morgens um sieben war in den Büros des Hochhauses gegenüber noch kein Mensch zu sehen. Akiko streckte ihren Kopf etwas aus dem Fenster, sodass sie auf die Einkaufsstraße blicken konnte. Sie sah, wie ein paar Raben krächzend auf und ab spazierten, andere hockten auf den Stromleitungen, die über der Einkaufsstraße verliefen. Vom Bahnhof her kamen zwei laut miteinander schäkernde Oberschülerinnen gelaufen. »Echt? Aber nicht im Ernst, oder?«, kreischte die eine; irgendetwas musste urkomisch sein, denn die beiden begannen, sich die Bäuche zu halten und vor Lachen zu torkeln. Akiko verfolgte sie mit den Augen, als ein Ehepaar mittleren Alters mit zwei Windhunden an der Leine an ihrem Fenster vorbeilief. Auf der Straße lagen da und dort weggeschmissene Tüten von Fast-Food-Restaurants oder nur halb aufgegessene Bentō-Boxen aus dem Kombini. Vor den Treppenstufen beim Eingang zur Bank waren mehrere leere Bierdosen in einer Reihe aufgestellt. Akiko staunte ... wie viele Gesichter des realen Lebens sie doch von ihrem Fenster aus beobachten konnte. Auf jeden Fall strömte jetzt frische, neue Luft in ihr Zimmer, und das tat gut! Akiko öffnete auch die kleinen Fensterchen in der Toilette und im Bad und lüftete ihre Wohnung kräftig durch. Taro hob den Kopf und schnupperte emsig. Ob er wahrnahm, dass es auf einmal anders duftete? Akiko schaltete das Radio an und machte sich, während sie sich von den Neuigkeiten der Welt berieseln ließ, ans Zubereiten eines feinen Frühstücks. Den nur zu fünf Prozent geschälten Reis hatte sie bereits vorab mit der Reisschälmaschine bearbeitet. Sie wusch ihn und legte ihn für eine Weile in Wasser ein. Da sie allein nur sehr wenig Reis verbrauchte und gekaufter, halbgeschälter Reis nicht sehr lange haltbar war, kaufte sie sich immer unbehandelten Bio-Vollkornreis und ließ wöchentlich eine abgemessene Menge durch die Schälmaschine laufen. Das zahlte sich im Geschmack aus. Sie holte den Tontopf für den Reis hervor. Einen kleineren Topf für die Miso-Suppe füllte sie mit Wasser und legte ein Kombu-Blatt hinein. Akiko gab im Café immer acht, so einzukaufen, dass am Ende des Tages nichts übrig blieb, doch es gelang ihr nicht immer. Wenn abends doch noch Reste da waren, teilte sie diese mit Shima-chan und verstaute ihren Teil entweder bei sich im Kühlschrank oder in der Gefriertruhe. Das Frühstück an ihrem heutigen ersten freien Tag bestand also aus einer Miso-Suppe mit etwas Restgemüse und Tofu aus dem Café, aus ein paar kleinen Stücken getrockneter Rossmakrele und Reis. Den Tofu hatte sie im Café für eine Streichcreme verwendet, die sie unter anderem aus trocken getupftem Tofu, Olivenöl, Knoblauch und etwas frisch gepresstem Zitronensaft herstellte. Als Akiko die Rossmakrelenstücke aus dem Kühlschrank holte, veränderte Taro, der bis jetzt müde vor sich hin geträumt hatte, schlagartig seinen Blick und kam unter lautem Miauen in die Küche gezottelt. »Maaau, Maaaaaau«, drängelte er zu Akikos Füßen.

»Du riechst wohl die Makrelen, was? Hm, die sind wahrscheinlich etwas zu salzig für dich ... Ich probiere sie, und wenn sie gut sind, gebe ich dir etwas davon. Deal?«

Taro hatte sich gesetzt und fuhr mit seiner Zunge wie wild mehrmals über sein Schnäuzchen, er war bereit! Während der Reis zog, begann Akiko, etwas in der Wohnung aufzuräumen. Die Zeit verging wie im Flug. Schon war der Reis bereit, und sie konnte beginnen, ihn zu kochen. Bei der Menge einer Tasse Reis dauerte es mit dem Tontopf nach dem Sieden keine zehn Minuten, bis der Reis fertig war. Danach musste man ihn nur noch eine Viertelstunde lang dämpfen lassen, es ging also viel schneller als mit einem elektrischen Reiskocher. Taro, dessen einziges Ziel die getrockneten Rossmakrelenstücke waren, saß immer noch auf demselben Fleck und murrte kleinlaut: »Maaau. Maau.«

»Ich hab' ja verstanden, kleiner Fratz«, redete Akiko ihm zu, aber er ließ nicht locker und quengelte ununterbrochen weiter. Akiko rührte den fertigen Reis um, und ein wohlriechender Dampf stieg ihr in die Nase. Diesen Moment mochte Akiko am liebsten. Genauso wie den Duft von frisch gebackenem Brot. Mmh, wenn es so gut roch, wurde man erst recht hungrig ... Endlich erhielt Taro seine Makrele und, als wäre es Schweigegeld, verstummte sogleich. In Sekundenschnelle hatte er seinen Teller auch schon leer geputzt und blickte mit kugelrunden Augen wieder zu Akiko hoch.

Gib mir noch mehr!

Eigentlich sollte man Katzen Katzenfutter geben, das war ihr schon klar. Womöglich lag es an ihrem schlechten Gewissen, weil sie Taro jeden Tag so lange allein ließ, dass sie einfach nicht anders konnte, als nachzugeben. »Na gut. Aber nur heute, und danach ist Schluss, ja?«, sagte sie, trennte ein Stück mit möglichst wenig Würze von der für sie selbst vorgesehenen Portion ab und gab es in Taros Töpfchen. Hocherfreut machte dieser sich darüber her. Akiko trug das Tablett mit einer Schale Reis, einer Miso-Suppe, dem Tellerchen mit den getrockneten Rossmakrelenstücken und etwas von ihrem selbst eingelegten Gemüse zum Esstisch und machte sich an ihr Frühstück. Taro spähte zwar zum Tablett, um zu sehen, ob nicht noch etwas Essbares für ihn dabei war, doch ließ rasch wieder davon ab und fuhr sich ein paar Mal zufrieden mit seiner Vorderpfote über das Gesicht.

Akiko ließ das Frühstück nie aus, aber so entspannt wie heute hatte sie es wohl seit der Eröffnung des Cafés nicht mehr zu sich genommen. An Tagen, an denen sie morgens noch Einkäufe erledigen musste, reichte es manchmal nur für ein einfaches Onigiri. Manchmal toastete sie sich ein Naturteigbrot aus der Fabrik, in der sie für das Café einkaufte, und machte sich mit einem Omelett und etwas Eisbergsalat ein Sandwich. Die Zeit der Ladenöffnung stand fest und alles musste bis dahin erledigt sein, komme, was wolle. Akiko fühlte sich manchmal regelrecht, als würde ständig jemand hinter ihrem Rücken stehen und sie hetzen, und die Morgen waren oft ein einziger Wettlauf mit der Zeit.

»Was isst du eigentlich so zum Frühstück?«, hatte Akiko ein halbes Jahr nach der Eröffnung Shima-chan einmal gefragt, welche von Beginn an täglich schon frühmorgens im Café aushalf. Wenn man so allein wohnte, ließ man das Frühstück vielleicht schnell einmal weg, dachte sich Akiko und wollte ihr vorschlagen, dass sie morgens hier zusammen etwas essen könnten. Aber Shima-chan antwortete:

»In letzter Zeit gibt's bei mir immer ein Clever-Brötchen.«

»Ein Clever-Brötchen?«

»Ja. Das gab's schon bei uns zu Hause, als ich klein war. Meine Eltern meinten, das Brot würde uns klug machen. Da sei Mehl drin, das gut für den Kopf ist. Wenn ich manchmal Pakete von zu Hause bekomme, sind sie immer vollgestopft mit diesen Dingern.«

Von diesem ›Brot, das klug macht‹ hatte Akiko tatsächlich schon gehört, aber sie hatte noch nie jemanden getroffen, der so etwas regelmäßig aß.

»Und, wirkt's?«, fragte Akiko verschmitzt. Auch Shima-chan musste lächeln und neigte den Kopf etwas zur Seite. »In meine Wunschschulen habe ich es geschafft ... Aber das war eigentlich immer aufgrund meiner sportlichen Leistung.«

Am nächsten Tag brachte Shima-chan Akiko ein Clever-Brötchen mit ins Café, und Akiko konnte zum ersten Mal eins kosten. Sie hatte sich immer ein sehr trockenes Brot vorgestellt, eine Art Knäckebrot oder Zwieback. Umso erstaunter war sie, dass es eher einem fluffigen Süßgebäck glich. »Das wäre ja großartig, wenn uns dieses Brötchen etwas cleverer machen würde«, schmunzelte Akiko, den Mund noch voll mit ihrem ersten Bissen Clever-Brötchen. Shima-chan, die selbst auch eins aß, kicherte und nickte fest. »Ja, das hoffe ich doch!« Genüsslich aßen die beiden – auf die Erleuchtung ihrer Sinne!

»Ob Shima-chan jetzt wohl gerade ein Clever-Brötchen isst?«, dachte Akiko, während sie sich einen Bissen perfekt gedämpften Reis zum Mund führte. Doch Shima-chan schlief wohl noch tief und fest, wohlig eingemummelt auf ihrem Futon ...

Aus den Augenwinkeln den spielbereiten Taro beobachtend, hängte Akiko den Futon und den Matratzenschoner aus dem Fenster, das nicht zur Einkaufsstraße, sondern hinter das Haus zeigte. Es gab auf dem Dach zwar eine Terrasse mit ein paar Wäschestangen, doch in letzter Zeit hielten sich dort oft Krähen auf. Einmal war Akiko nachmittags mit der Wäsche hochgestiegen und hatte erst mal mühsam den Vogeldreck wegmachen müssen. Seither hängte sie auch das Bettzeug zum Lüften nur noch aus dem Fenster. Als Nächstes machte sie sich ans Abstauben der Kommoden und Schränke und ging mit dem Staubsauger durch die ganze Wohnung. Taro, der das Staubsaugergeräusch verabscheute, schreckte schon auf, als Akiko den Staubsauger hervorholte, und verzog sich schnurstracks in seinen sicheren Hafen, die hinterste Ecke des offenen Wandschranks. Missmutig und genervt kugelte er sich zwischen den Mänteln und Winterjacken ein.

»Es dauert nicht lang, Tarolein, ja?«, sagte Akiko lieb, worauf Taro nur ein leises Grummeln von sich gab und den Kopf von ihr abwandte. Da Akiko den Boden täglich mit einem Mopp wischte, sah er im Großen und Ganzen nicht einmal so schmutzig aus, doch hinter den Möbeln oder in den Ecken war alles voll mit Staub und Katzenhaaren. Während Akiko so putzte und fegte, schwor sie sich, dass sie ihre Wohnung genau wie das Café von nun an schön sauber halten wollte.

Zu Lebzeiten ihrer Mutter war die Wohnung, genau wie das Lokal im Erdgeschoss, voller Gerümpel gewesen. Ständig bekam sie von ihren unzähligen Bekannten irgendwelche Dinge geschenkt, sodass sich hinter ihrem Bett über die Jahre Berge von Ausstellungsobjekten und Behältern aller Art angesammelt hatten.

»Aber ich finde doch, was ich brauche!«, behauptete ihre Mutter jedes Mal schulterzuckend, wenn Akiko eine Bemerkung machte, obwohl man in diesem Haufen die untersten Sachen schon gar nicht mehr sehen konnte.

»Aha. Und wo ist denn der Fächer, bitte?«, fragte Akiko einmal genervt, woraufhin ihre Mutter augenblicklich zwischen zwei Kisten griff und ihr einen reichte. Akiko war noch gar nicht dazu gekommen, etwas darauf zu sagen, als sie sich gleich noch einmal dem Gerümpel zuwandte, um aus der Schublade einer kleinen, hinter dem Vorhang verstauten Kommode noch einen Fächer zu zücken, einen billigen Gratisfächer mit Plastikgestell, bestimmt ein Werbegeschenk aus der Einkaufsstraße. »Für dich!«, sagte sie stolz. Akiko seufzte. Hätte ihre Mutter wenigstens im Herbst und im Frühjahr einige Dinge in den Abstellraum geräumt, den das Haus besaß, hätte es sich bestimmt etwas angenehmer gelebt. Aber ihre Mutter bestand darauf, ihre Sachen in der Wohnung zu lagern. Der mit Schiebetüren versehene, großräumige japanische Wandschrank war vollgestopft mit Give-aways, die sie vor Urzeiten auf Hochzeiten erhalten hatte, mit nicht mehr benutzten Dosen und Schächtelchen und vor allem mit schweren Dingen wie alten Wolldecken und Futons; sogar ein dreiteiliger Spiegel mit dazugehörigem Hocker war darin verstaut. Da ihre Mutter nichts wegwerfen konnte, füllte sich die Wohnung unaufhörlich und glich in Akikos Augen einer einzigen Rumpelkammer. Heute schienen dieselben Räumlichkeiten großzügig und hell, und wenn Akiko die Fenster öffnete, konnte frische Luft hineinströmen. Immer wieder dachte sie, dass sie schon zu Lebzeiten ihrer Mutter für ein frisches, wohliges Zuhause hätte sorgen sollen, doch ihre Mutter hatte das Leben inmitten dieses ganzen Krams eben geliebt. Akiko erinnerte sich an die Abende, an denen ihre Mutter nach langen Trinkgelagen mit den Stammgästen in die Wohnung hochkam und sich mit einem »Hoppala!« seufzend ins Bett plumpsen ließ. Nachdem sie ein paar tiefe Atemzüge lang still dalag, hatte sie sich langsam vom Bett gerollt und sich mit dem Rücken an die Bettkante gelehnt. »Aaah, gnädiges Töchterchen, wärst du so lieb und würdest mir ein Glas Hoji-Tee bringen?« Akiko konnte sie noch heute hören.

Zweifellos war ihre Mutter mit zunehmendem Alter körperlich schwächer geworden, doch sie hatte sich kein einziges Mal beklagt. Ob sie geschwiegen hatte, um ihrer Tochter keine Sorgen zu bereiten? Akiko wusste es nicht. Plötzlich kam ihr der Gedanke, dass ihre Mutter ihr vielleicht hatte zeigen wollen, dass sie das Leben sehr wohl meistern konnte, auch ohne Bildung, auf ihre Weise.

Nach dem Staubsaugen wischte Akiko den Boden feucht auf. Während sie mit dem Lappen auf Händen und Knien durch die Wohnung krabbelte, kam Taro, beruhigt, dass das grässliche Staubsaugergeräusch endlich verstummt war, wieder aus seinem Versteck hervor. Zunächst einmal hockte er sich neben Akiko. »Miaaau, Miaaau«, machte er merklich grummelig.

»Ich putze gerade, Taro. Lass uns spielen, wenn ich hier fertig bin, ja?«, sagte Akiko, doch Taros Aufmerksamkeit war bereits auf den Lappen in Akikos Händen gerichtet. Gebannt verfolgte er mit den Augen ihre Hände, die schlängelnd das feuchte Tuch über den Boden führten. Er wackelte mit seinem Po und zack! Schon war er auf den Lappen zugesprungen.

»He! Was soll das?«, schimpfte Akiko. Doch Taro drückte den feuchten Lumpen mit beiden Vorderpfoten fest zu Boden und klopfte mit seinem Schwanz triumphierend hin und her.

»Taro! Das wird doch dreckig, lass los, bitte!«, rief Akiko, aber dieser gab nur ein trotziges »Maau« von sich und begann verspielt, an einem Zipfel des Lappens herumzukauen. Akiko seufzte.

»Na schön, ist ja gut …«, sagte sie, erhob sich und holte das Katzenspielzeug mit dem bauschigen Ende aus der Schublade. Wieder auf den Knien, versuchte sie, Taro mit der linken Hand damit bespaßend, mit der rechten so gut es ging weiterzuputzen. Taro balgte sich vergnügt mit dem bauschigen Ball am Ende der Schnur, um sich blitzschnell wieder von ihm zu entfernen und ihn erneut anzugreifen. Vollends im Jagdmodus wackelte er erneut ein paar Mal konzentriert mit dem Hintern und packte abermals wuchtig zu. Akiko, die gerade mit der rechten Hand eine gänzlich andere Tätigkeit ausübte als mit der linken, dachte sich, dass diese Übung gar um ein einiges effektiver sein könnte als Shima-chans Clever-Brötchen.

Seit der Eröffnung des Cafés hatte sich Akiko nie mehr so richtig Zeit genommen, mit Taro zu spielen. Wenn sie ihn abends in den Arm nahm, wurde er ganz anhänglich und ruhig, und sie hatte es damit gut sein lassen. Doch obwohl Taro kastriert war, war er eben immer noch ein Männchen und hatte das Bedürfnis, sich wie ein richtiger Kater auszutoben. Jetzt, wo sie Taro zusah, wie er mit einem noch nie gesehenen Leuchten in den Augen seinem Katzenspielzeug nachjagte, wurde Akiko bewusst, wie viel er ihretwegen zurückstecken musste, und ein tiefes Schuldgefühl stieg in ihr hoch.

Akiko hatte den Boden des gesamten Wohnbereichs sauber geschrubbt und war fix und fertig. Mit über fünfzig sollte man nicht alles auf einmal machen wollen, dachte sie reuevoll. Sie beschloss, sich einen Kaffee aufzubrühen. Nachdem sie die Bohnen gemahlen hatte, gab sie das Kaffeepulver in einen Filter und goss langsam heißes Wasser darüber. Sie mochte den Kaffee am liebsten schwarz. Nach und nach breitete sich feiner Kaffeeduft im Raum aus, und Taro begann neugierig in die Luft zu schnuppern.

»Du hast ein Näschen für feine Dinge, sag mal!« Anders als bei den Rossmakrelenstückchen spürte Taro wohl, dass er hiervon nichts essen konnte, und rührte sich nicht weiter. Dennoch sah es aus, als würde er den Duft des Kaffees ebenfalls genießen, auf seine Weise. An ihrer Tasse nippend, blickte Akiko aus dem Fenster und schnitt sich in Gedanken ein kleines blaues Viereck aus, in dem keine hohen Bürogebäude und Wohnblöcke zu sehen waren. Mal wurde es von ein paar flinken Schwalben gestreift, mal flogen ein paar Raben mit ruhigen Flügelschlägen hindurch, bevor sie sich auf das Balkongeländer eines Wohnblocks setzten. Als Akiko ein kleines Mädchen war, gab es in dem Viertel noch kaum Hochhäuser und vom Fenster im Obergeschoss war nichts als der strahlend blaue Himmel zu sehen. Inzwischen wollte man sich etwa einen Brand in dieser Gegend ja gar nicht vorstellen, derart war hier inzwischen alles mit Gebäuden zugepackt. Akiko seufzte. Wie schnell doch die Zeit verging. Mit diesem Gefühl war sie nicht allein. »Ich bewundere dich, Akiko«, hörte sie immer wieder von alten Schulfreundinnen, »dass du den Mut hattest, mit über fünfzig noch den Job an den Haken zu hängen und deinen eigenen Laden aufzumachen. Diese

Entschlossenheit hätte ich nie gehabt. Und trauen würde ich mich erst recht nicht … Stattdessen werde ich immer nur älter und älter, das bedrückt mich schon auch …«

Doch Akiko konnte sich nicht daran erinnern, jemals bewusst Mut oder Entschlossenheit an den Tag gelegt zu haben. Die Leute mochten in Akiko vielleicht eine Frau sehen, die sich in ihren Fünfzigern die Zähne ausgebissen hatte, um ein neues Leben zu beginnen. Aber eigentlich war Akiko das Ganze höchst entspannt angegangen. Natürlich hatte sie für ihr Diplom eine Menge lernen müssen und vor der Eröffnung des Cafés hatte sie sich fleißig mit den verschiedensten Produzenten und Anbietern getroffen, um die Zutaten für das Menü zusammenzustellen. Auch die Zeit, in der sie in einem Küchenbetrieb jobbte, um praktische Erfahrungen zu sammeln, war anstrengend und herausfordernd gewesen. Doch obschon sie stets gewissenhaft an ihrem Projekt arbeitete, hatte sie sich alles in allem nicht überanstrengt.

»Verdienst du denn etwas damit?«, war die Frage, die Akiko von ihren Bekannten am wenigsten leiden konnte. Auch in ihrem Freundeskreis gab es einige, die gleich nach der Eröffnung schon damit kamen.

Mit diesen Menschen kann ich wohl nicht mehr länger befreundet sein, dachte Akiko daraufhin oft wehmütig. Menschen, die etwas Feinheit besaßen, würden so etwas nicht fragen. Zwar äußerten sie bloß geradeaus, was ihnen auf der Zunge lag, und meinten es bestimmt nicht böse, doch Akiko war von ihren alten Bekannten enttäuscht. Sie wusste, dass man sie für seltsam halten würde, wenn sie ihnen keine Antwort gab, doch hielt sie es auch nicht für nötig, ihnen ihr Einkommen offenzulegen. Meistens sagte sie einfach: »Nun ja, als Angestellte war das Leben etwas unbeschwerter.«

»Ja, das glaube ich«, stimmte ihr ihr Gegenüber dann verständnisvoll zu, »da kriegt man Ende Monat wenigstens immer sein Sümmchen aufs Konto.« Einige Bekannte ließen es damit gut sein. Andere hakten unermüdlich nach: »Und, verdienst du inzwischen etwas damit oder nicht?«, und trieben Akiko damit in die Enge.

Welch Glück es doch war, nicht arbeiten zu müssen und – obwohl es da draußen keine grün duftenden Wiesen gab – einfach aus dem Fenster zu blicken und den Himmel zu beobachten. In jungen Jahren hatte Akiko zum Geburtstag oder an Weihnachten Torte gegessen und Geschenke bekommen, hatte große freudige Momente immer mit solch besonderen Anlässen in Verbindung gebracht. Doch heute fand sie das Glück immer mehr in den kleinen Dingen des Alltags. Akiko dachte, wie glücklich sie sich schätzen konnte, dass auch noch so unbedeutend erscheinende Dinge sie innerlich aufblühen ließen. Die warmen Sonnenstrahlen auf ihrem Scheitel spürend, richtete sie ihren Blick auf Taro, der gerade dabei war einzunicken.

Als sie kurz nach elf Uhr zufällig aus dem Fenster blinzelte, sah sie, wie sich einige Menschen vor dem Café aufhielten.

»Jetzt sind wir extra gekommen. Schade ...«, sagte jemand enttäuscht.

Akiko hatte ihre Gäste schon einige Zeit vorher durch kleine Kärtchen auf den Tischen über den neuen Ruhetag informiert. Auch auf der kleinen Tafel an der Ladenfront hatte sie darauf hingewiesen. Aber Gäste, die das erste Mal kamen, konnten es natürlich nicht wissen. Würde sie einen Blog oder einen Twitter-Account führen, könnten sich die Leute jederzeit informieren. Doch diese Leute waren heute vergebens gekommen. Akiko hielt die Hände vor der Brust zusammen und entschuldigte sich im Stillen bei ihnen. Noch eine ganze Weile blieb sie mit schlechtem Gewissen am Fenster stehen und sah, wie noch einige weitere zum Café kamen, die Tafel lasen und wieder gingen. Wahrscheinlich würde es noch etwas Zeit brauchen, bis sich das mit dem Ruhetag bei allen Leuten herumgesprochen hatte, dennoch tat dieser Anblick Akiko im Herzen weh.

Zu Mittag kochte Akiko eine Bohnensuppe, die sie sich auch für das Café gut vorstellen konnte. Es war eine reichhaltige Suppe aus weißen und roten Bohnen, Kichererbsen und Linsen. Bohnenliebhaber konnte sie vielleicht mit diesem ersten Ergebnis noch nicht zufriedenstellen, jedenfalls waren die Bohnen aber sehr nahrhaft, und sie musste sich gut überlegen, welches Brot sie dazu servieren wollte. Akiko wusste, dass viele Frauen und zum Teil auch Männer mit Bohnen eher Mühe hatten. Vielleicht sollte sie einfach weniger Bohnen nehmen ... aber dann wäre es vielleicht wieder zu gewöhnlich. Oder sollte sie aufs Ganze gehen und für dieses Mal einfach nur die Bohnenliebhaber beglücken? Oder sie ließ es mit der Suppe ganz bleiben und machte stattdessen eine Mousse daraus, um es wie Hummus als Beilage zu servieren. So hielt Akiko nach jedem Bissen inne und überlegte sich die verschiedensten Varianten.

Akiko ging zum Regal und zog ein Kochbuch heraus. Es war von einem westlichen Autor und war für sogenannte »Veganer« geschrieben worden, die, viel strenger als Vegetarier, nebst Fisch und Fleisch auch jegliche weiteren Zutaten tierischen Ursprungs von ihrem Menüplan strichen. Das betraf zum Beispiel auch die Gelatine, die aus Rinderfett hergestellt wurde, oder in der japanischen Küche die Dashi-Brühe aus Bonito-Flocken. Während es bestimmt Veganer gab, die Fleisch oder tierische Produkte im Allgemeinen einfach nicht mochten, entschieden sich die Leute meistens aus Liebe zu den Tieren für diese Ernährungsweise. Es war für sie unverständlich, warum wir Hunde und Katzen mit Herz behandeln und Kühe, Schweine, Pferde, Schafe und Hühner ihr Leben für uns lassen müssen. Akiko, die Tiere so liebte, spürte diesen Widerspruch ebenfalls. Sah sie irgendwo ein Lämmchen oder ein kleines Kalb, rief sie entzückt: »Oh, wie süß«, und wenn ihr im Restaurant ein Stück Fleisch serviert wurde, lief ihr das Wasser im Mund zusammen. War sie nicht ein grausamer Mensch? War ihre Liebe zu Tieren also nur bloße Heuchlerei? Gleichzeitig wusste Akiko, dass es beim veganen Lebensstil noch um viel mehr ging. Akiko beschloss, sich im Café beim Fleisch auf das Notwendigste zu beschränken. Etwa benutzte sie für den Gout der Suppen nie Speck, sondern versuchte den Geschmack ausschließlich aus dem Gemüse zu gewinnen. Fleischliebhabern und Gästen, die an Essen mit vielen Geschmacksverstärkern gewöhnt waren, mochte in Akikos Suppen vielleicht etwas fehlen. Aber gerade, weil wahrscheinlich die wenigsten Menschen es schafften, dreimal täglich ganz gesund zu essen, war es Akiko ein Anliegen, den Leuten wenigstens in ihrem Café eine Mahlzeit anzubieten, die ihrem Körper guttat.

Im veganen Kochbuch war eine Vielzahl an Rezepten mit Tofu und Bohnen zu finden. Gleichzeitig gab es auch allerlei Rezepte für Desserts mit unheimlich viel Zucker. »Sind Vegetarier und Veganer deshalb oft ziemlich korpulent …?«, murmelte Akiko blätternd und überlegte. Ob man vermehrt zu Süßspeisen griff, um seinen Verzicht auf Fleisch zu kompensieren? Akiko mochte keine zu extreme Position einnehmen, aber gerne wollte sie sich weiterhin dem veganen Ernährungsstil annähern. Ja, vielleicht ließ sich ihre Haltung zum Essen und Kochen in etwa so beschreiben.

Es war zwei Uhr, und Akiko war gerade dabei, ihr Bettzeug wieder hereinzuholen, als es an der Wohnungstür klingelte. Verwundert stieg sie die Treppen hinunter und spähte durch das Guckloch der Tür. Da sah sie, dass es Tanaka-san von neulich war. Sie öffnete ihr sogleich.

»Ich sah gerade, dass ihr geschlossen habt …«, sagte Tanaka-san, hinter der gleich die Wand des angrenzenden Bürogebäudes in die Höhe ragte.

»Ja, tut mir leid«, entschuldigte sich Akiko. »Wir haben mittwochs einen Ruhetag eingeführt.«

»Ach so. Verstehe«, nickte die Dame, fuhr aber gleich fort: »Ich hatte eben mal wieder in der Gegend zu tun und dachte, ich schaue vorbei.«

Sie trug eine lilafarbene Strickjacke und dazu eine hellbeige Hose. Irgendwie berührte es Akiko, wie Tanaka-san sich ganz nach ihrem Geschmack herausgeputzt hatte.

Akiko bat sie ins Wohnzimmer. »Sie sind sicher hungrig«, sagte sie und bot Tanaka-san ein Vollkorn-Sandwich und eine Tasse frisch gebrühten Filterkaffee an. Das Sandwich war simpel mit etwas Salat, einem Omelett und einer Scheibe vom Schinken, den Akiko von einem Gast geschenkt bekommen hatte. Tanaka-san, die zunächst bescheiden abgelehnt hatte, freute sich schließlich und erklärte mehrmals begeistert, wie gut es ihr schmeckte.

»Entschuldigen Sie, ich wollte mich nicht selbst einladen ... Eigentlich hatte ich vor, im Café eine Kleinigkeit zu essen, und bin deswegen auch ganz ohne Geschenk hier«, meinte sie schuldbewusst.

»Ach nicht doch, wir hätten das mit dem Ruhetag besser kommunizieren müssen. Es gab mehrere Gäste, die heute extra zum Essen herkamen und dann enttäuscht wieder gehen mussten.«

Tanaka-san nahm nickend einen Schluck Kaffee und blickte Akiko auf einmal ernst an.

»Wissen Sie ... vielleicht sollte ich gar nicht davon sprechen, aber ...«

»Ja?« Ohne es zu wollen, blickte Akiko ihr direkt in die Augen.

»Es geht um Ihren Vater.«

Akiko nickte.

»Ich habe doch letztes Mal gesagt, dass ich nichts weiß ...«

»Ja.«

»Ich wollte mich nicht in Ihre Angelegenheiten einmischen. Aber dann habe ich nach unserem Gespräch doch bei einigen Bekannten von damals nachgefragt. Und die haben mir ein paar Dinge erzählt.« Sie räusperte sich. »Da

Ihre Mutter gestorben ist, haben Sie ja keine Möglichkeit mehr, etwas über Ihren Vater zu erfahren. Ich dachte mir, das muss schwer sein für Sie und … verstehen Sie, ich will mich wirklich nicht einmischen, aber ich bin heute gekommen, um Ihnen ein wenig zu berichten …«

Akiko brachte kein Wort hervor. Sie hatte sich all die Jahre damit abgefunden, dass sie außer den Tatsachen, die sie von ihrer Mutter wusste, nichts mehr über ihren Vater erfahren würde, und nun waren dieser Frau anscheinend völlig neue Dinge ans Ohr geweht. Ob es sich um Wahrheiten handelte oder nicht, stand in den Sternen. Akiko war eigentlich nicht danach, sich diese Geschichten anzuhören. Doch Tanaka-san, die offenbar fleißig recherchiert hatte, blickte sie jetzt mit funkelnden Augen an, als könnte sie es kaum erwarten, endlich loszulegen. Akiko glaubte gar, ihren Atem hören zu können. Wer weiß, vielleicht war sie ja gar nicht vorbeigekommen, weil sie zufällig in der Gegend zu tun hatte, sondern, um ihr von ihren Neuigkeiten zu berichten.

»Ja, wenn das so ist …«, sagte Akiko nur, ging in die Küche und setzte den Wasserkessel auf, um für sie beide einen Tee zu machen.

6

Tanaka-san sah sich in der Wohnung um, die dampfende Tasse Tee vor sich auf dem Tisch.

»Ihre Wohnung ist so ordentlich eingerichtet wie Ihr Café.«

»Hausarbeit liegt mir nicht besonders«, sagte Akiko, »daher lasse ich nichts herumliegen. So muss ich nur putzen und nicht auch noch nebenher aufräumen.«

»Ich bin ja das komplette Gegenteil, ich mag eine schön dekorierte Wohnung. Wenn ich beim Einkaufen etwas Hübsches entdecke, kann ich nicht widerstehen. Ein apart eingerichtetes Regal zu Hause ist eine wahre Augenweide. Ein Regal von dieser Größe«, Tanaka-san maß mit ihren Händen ein Rechteck von etwa fünf mal zwanzig Zentimeter Größe, »habe ich zu Hause mit Porzellanpuppen, Stofftieren und Döschen dekoriert. Ich wische aber jeden Tag jedes Teil ordentlich ab. Nun ja, ich habe Zeit.«

Akiko folgte den Worten ihres Gegenübers mit klopfendem Herzen. Wann würde Tanaka-san auf den Grund ihres Besuches zu sprechen kommen? Ihr unerwarteter Gast hatte Akiko völlig durcheinandergebracht. Allerdings machte Tanaka-san bisher keine Anstalten, das Thema Vater anzuschneiden:

»Erinnern Sie sich, ich hatte bei unserem letzten Treffen etwas in der Nähe zu erledigen.«

Akiko nickte.

»Wissen Sie, vor einem halben Jahr ist mein Sohn an einem Herzinfarkt gestorben.«

»Mein aufrichtiges Beileid«, sagte Akiko. »Das war sicherlich ein Schock für Sie.«

»Danke schön.«

Tanaka-san stützte die Hände auf die Knie und verbeugte sich kurz.

»Es geschah so plötzlich und unerwartet, die Vorbereitungen mussten in größer Eile erledigt werden. Nun, er war mein einziger Sohn, mein eigen Fleisch und Blut. Nach seiner Beerdigung stand ich vollkommen unter Schock.«

»Verständlicherweise«, sagte Akiko.

»Ja, Sie haben recht, das ist nur normal.«

Tanaka-san suchte ihre Bestätigung, daher nickte Akiko ihr zu.

»Nun stellen Sie sich vor, wie sich meine Schwiegertochter verhalten hat ...«

Tanaka-san verlor einige nicht besonders wohlwollende Worte über die Ehefrau ihres verstorbenen Sohnes. Sie erzählte, ihre Schwiegertochter habe sich während der Beerdigung zwar löblich verhalten, doch es mache sie wütend, wie unberührt diese im Gegensatz zu ihr selbst von dem Todesfall schien.

»Womöglich hat die Frau Ihres Sohnes auf ihre Weise getrauert. Als Hauptleidtragende musste sie sicher ein tapferes Gesicht aufsetzen, vielleicht wirkte sie daher nicht besonders mitgenommen.«

Akiko nahm die fremde Frau in Schutz, obwohl sie sie noch nie getroffen hatte.

»Nein, das glaube ich nicht. Dieses Frauenzimmer ist nicht so anständig, wie Sie meinen.«

Akiko wusste nicht, was sie darauf antworten sollte.

»Ich bat sie, mir bei der Beerdigung zu helfen, ich stand

ja unter Schock. ›Sei nur beruhigt, Oma, wir kümmern uns um alles‹, meinte sie. Und dann hat sie sich alles unter den Nagel gerissen. Das würde sich doch niemand gefallen lassen.«

Wütend ballte Tanaka-san ihre Hände zu Fäusten.

Sie habe ihrer Schwiegertochter vertraut und alle Vorbereitungen überlassen, erzählte die alte Frau weiter. Und dann habe die Schwiegertochter versucht, die Auszahlung der Lebensversicherung, die ihr zugestanden hätte, sowie die Ersparnisse ihres Sohnes klammheimlich zwischen sich und ihrem Enkel aufzuteilen. Dem Jungen, einem Oberschüler, habe sie es gegönnt, aber sie habe keinen einzigen Yen gesehen. Nichts! Dabei stehe ihr doch das Geld zu. Das würde sie ihr niemals verzeihen! Tanaka-san schäumte vor Wut.

»Es ist nicht rechtens, dass Sie nichts erhalten haben«, sagte Akiko.

»Nicht wahr? Sehen Sie, Sie denken auch so!«

Der Redeschwall ihrer Gesprächspartnerin wollte kein Ende nehmen, Akiko zuckte innerlich mit den Schultern und hörte ihr weiter zu.

Laut Tanaka-san hatte die Schwiegertochter ihr Sparbuch ausfindig gemacht und kontrollierte es nun, wann immer sie konnte. Einmal, als ihr Sohn noch lebte, hatte Tanaka-san das Sparbuch nach einem Besuch bei der Bank auf dem Fernseher liegen lassen. Zu ihrem Leidwesen hatte es die Schwiegertochter entdeckt. »Oma Tanaka, du bist ja gut versorgt«, kommentierte diese offenbar. Tanaka-san erzählte, dass sich die Frau ihres Sohnes ab diesem Zeitpunkt auffällig für ihre Ersparnisse zu interessieren begann. Jedes Mal, wenn sie außer Haus war, kramte die Schwiegertochter offenbar in den Schubladen herum, daher behielt sie das Sparbuch und ihren Siegelstempel seit einiger Zeit nur noch in der Handtasche.

»Woher wussten Sie denn, dass sie Ihr Sparbuch gesehen hatte?«, fragte Akiko.

»Es lag ganz anders da, als ich es zurückgelassen hatte. Ich wusste sofort Bescheid, als ich die Schublade der Kommode öffnete.«

Tanaka-sans Rente wurde in Zweimonatsabständen ausgezahlt, und es ärgerte sie, wie ihre Schwiegertochter sie dann jedes Mal merkwürdig musterte.

Der Sohn hinterließ ein bescheidenes Vermögen. Bei der Aufteilung sagten ihre Schwiegertochter und ihr Enkel zu ihr: »Du hast ja genug, Oma Tanaka, du brauchst es ja nicht.«

Als seine Mutter hätte sie doch als Zeichen der Anerkennung zumindest einen kleinen Anteil des Vermögens, für das ihr Sohn so hart gearbeitet hatte, erhalten sollen. Doch Schwiegertochter und Sohn teilten unbekümmert und ohne große Anzeichen von Trauer das Geld unter sich auf. Bereits kurz nach der Beerdigung diskutierten sie vergnügt, was sie sich mit dem Erbe alles gönnen wollten.

»Meine Entrüstung war unbeschreiblich, wie Sie sich vorstellen können.«

Tanaka-san machte ein gequältes Gesicht.

Sie hatte als Mutter des Verstorbenen selbstverständlich auch einen Erbanspruch, doch ihre Schwiegertochter unterstellte ihr, sie sei dement.

»Sehe ich etwa so aus, als ob ich senil wäre?«

Tatsächlich wirkte sie etwas senil, doch das war lediglich Akikos erster Eindruck. Als beim Notar Schulden des Verstorbenen zum Vorschein kamen, erzürnte dies die Schwiegertochter.

»Die solltest du bezahlen, Oma Tanaka«, wurde ihr gesagt. Als sie sie nach dem Grund fragte, erhielt sie folgende Antwort: »Du hast deinen Sohn nicht gut erzogen, sonst hätte er seiner eigenen Frau doch von den Schulden erzählt.«

»Sie plant, alle Schulden auf mich abzuwälzen und sich das Vermögen unter den Nagel zu reißen. Aber nicht mit mir, ich habe mir also einen anderen Notar gesucht. Dessen Büro ist direkt um die Ecke von Ihrem Laden.«

Nun verstand Akiko endlich, wie Tanaka-san bei ihr auftauchen konnte.

»Es ist ja nicht so, als würde es sich bei dem Erbe um Millionen handeln«, sagte Tanaka-san. »Doch es ist unerträglich, wenn ich an meinen plötzlich verstorbenen Sohn denke. Was würde er nur denken? Ich kann dieses Frauenzimmer unmöglich gewinnen lassen. Wer weiß, vielleicht wollte er ihr die Sache mit den Schulden gestehen, kurz bevor er gestorben ist. Hätte er noch ein wenig länger gelebt, hätte man alles besprechen können, aber so, ach, es war alles so plötzlich.«

Sichtlich bestürzt biss sich Tanaka-san auf die Lippe und trank zügig ihren Tee aus.

»Es wäre schön, wenn sich die Sache in Wohlgefallen auflösen würde«, versuchte Akiko sie erneut aufzumuntern.

»Das halte ich bei diesen Leuten für ausgeschlossen«, Tanaka-san klang verbittert. Akiko schwieg daraufhin und schenkte ihr erneut Tee ein.

»Der neue Notar hat mir versichert, dass das Recht auf

meiner Seite ist. Sie werden vor Gericht keine Chance haben.« Tanaka-san lächelte siegessicher. Dann: »Aber ich sollte los.« Sie stand auf.

Wie, das war's?

Akiko schaute sie überrascht an. Tanaka-san hielt einen Moment inne, dann rief sie aus: »Ach herrje, nun hätte ich ja beinahe das Wichtigste vergessen. Da wird man mich doch noch senil nennen. Aber Sie wissen ja, worum es geht, oder?«

Tanaka-san setzte sich zurück auf den Stuhl.

»Also«, plötzlich klang sie verschwörerisch. Sie musterte Akiko. »Es geht um Ihren Vater.«

Akiko nickte.

»Du weißt wirklich nichts?« Plötzlich duzte Tanaka-san sie.

»Meine Mutter hat mir nur gesagt, dass er kurz nach meiner Geburt starb. Ich habe keine Erinnerungen an ihn. Meine Mutter besaß ein Foto, das sie offenbar verloren hat. Ich kann mich nicht erinnern, es je gesehen zu haben.«

Tanaka-san kratzte sich am Kopf und sah unzufrieden aus.

»Wenn man älter wird, juckt es plötzlich an allen möglichen und unmöglichen Stellen«, kommentierte sie. Für eine kleine Weile herrschte Schweigen. Dann seufzte die ältere Frau.

»Ich habe mich bei allen Kollegen, mit denen deine Mutter und ich damals zusammengearbeitet haben, zu dieser Sache erkundigt. Dein Vater scheint ein Priester gewesen zu sein.«

Akiko zuckte bei diesen Worten zusammen. Zuvor hatte die Chance zwei zu eins gestanden, doch nun war es sicher.

»Ein Priester?«

»Ja. Ich kannte ihn gut. Er kam oft in unser Lokal, der Inhaber war ein Unterstützer seines Tempels.«

Das hatte ihre Mutter ihr erzählt. Sie hatte auch gesagt, niemand habe von der Verbindung wissen dürfen, deswegen habe sie sogar mit ihrer eigenen Familie gebrochen. Doch offenbar hatten alle Bescheid gewusst.

»Aber bei Ihrem letzten Besuch meinten Sie doch, meine Mutter sei verheiratet gewesen.«

»Hat Kayo dir das etwa erzählt?«, sagte Tanaka-san.

Akiko erschrak: »Was meinen Sie?«

Sie wollte der anderen Frau ausweichen, doch Tanaka-sans kleine Augen mit den schlaffen Lidern musterten sie eindringlich.

»Ich weiß nur, dass mein Vater tot ist …«, sagte Akiko dann.

»Es ist eindeutig, dass dieser Priester dein Vater war. Die Frage ist nur, ob er und deine Mutter verheiratet waren.«

Tanaka-san kam ihr näher und inspizierte sie. Dann sagte sie mit gesenkter Stimme: »Offenbar nicht.«

»Sie waren nicht verheiratet«, sagte Akiko.

»Nein, die Beziehung deiner Eltern war offenbar ein Seitensprung.«

Akiko durchlief ein dunkler Schauer. Dass sie ein uneheliches Kind war, war ein unbestrittener Fakt ihres Lebens, schließlich hatte sie ihren Vater nie gekannt, diese Tatsache berührte sie nicht sonderlich.

Doch es stieß Akiko auf, wie über ihre Mutter gesprochen wurde. Sie war überrascht, wie wütend sie das machte.

Tanaka-san schien das nicht zu bemerken, denn sie redete munter weiter: »Bei den Männern war Kayo-chan ohnehin immer beliebt gewesen.« Ihr Ton war warm.

Das klang nicht, als ob Tanaka-san sich über Akikos Mutter lustig machen wollte.

»Kayo-san war blitzgescheit und rücksichtsvoll, und zupacken konnte sie auch. Eine Frohnatur, hat jedem ihre Meinung gesagt, doch irgendwie konnte ihr niemand böse sein. Im Gegenteil, die Leute mochten ihre Aufrichtigkeit. Bestimmt wurde deswegen so mit ihr umgesprungen, das muss es sein.«

Ob Tanaka-san das Lokal, in dem sie mit Akikos Mutter gearbeitet hatte, und die alten Kunden wohl vor Augen hatte?

»Und dein Vater, ja, er war ein großartiger Mensch«, lobte sie den Mann, der Akikos Vater war. »Er war der Hauptpriester des Tempels im Ort, ein ruhiger und ausgeglichener Mann, von allen geschätzt. Ihr ähnelt euch, die helle Haut hast du bestimmt von ihm. Er war groß für einen Mann damals, mit hellem Teint und gut gebaut. Kayo-chan war ja immer gebräunt, ganz untypisch für eine Japanerin. Ja, ich sehe ihn in dir, es ist nicht von der Hand zu weisen.«

Akiko beschlich der Verdacht, Tanaka-san war nicht gekommen, um ihr etwas über ihren Vater zu erzählen, sie wollte vielmehr erfahren, ob die Gerüchte wahr waren.

Die ältere Frau war eine ehemalige Kollegin ihrer Mutter, offenbar hatten sie jedoch nur zwei, drei Jahre zusammengearbeitet und waren nicht besonders eng gewesen. Tanaka-san hatte wohl nur das Rätsel von Akikos Herkunft lösen wollen, als wäre ihr Leben ein Krimi im Abendprogramm. Degradiert zu einer Seifenoper – kurz betrauerte Akiko ihr unglückliches Schicksal und das ihrer Mutter.

»Ein Kind, das nicht weiß, wer seine Eltern sind, das bringt Unglück.«

Tanaka-san rezitierte einen Spruch, den sie schon unzählige Male gehört hatte.

Der Tempel von Akikos Vater lag rund fünfzehn Minuten von dem Lokal entfernt, in dem Akikos Mutter und Tanaka-san als Bedienung gearbeitet hatten. Früher gingen die Leute noch regelmäßig im dortigen Tempel ein und aus, nicht nur zu Beerdigungen und dem buddhistischen Totenfest, bei dem die Angehörigen nach dem neunundvierzigsten Tag nach dem Tod eines Familienmitgliedes eine Woche lang traditionelle Riten begingen. Der Tempel war früher ein Teil des alltäglichen Lebens gewesen. Tanaka-san erzählte, die Frau des Reishändlers, die drei Häuser entfernt vom alten Lokal wohnte, sei eine Schulkameradin von Akikos Vater gewesen. Wenn die Nachbarin ihren Vater auf der Straße traf, egal, ob er einen Hōe, die offizielle Priesterkleidung mit Schultertuch, oder Samue, ein informelles Baumwollgewand mit weiten Ärmeln und Hosenbeinen, trug, rief sie jedes Mal: »Wie geht's dir, Shō-chan?« Wenn Akikos Vater den Samue trug, antwortete er heiter: »Gut, wie ich sehe, dir auch«, wenn er jedoch den Hōe trug, verneigte er sich nur kurz, wortlos. Tanaka-san schien überzeugt, dass er als Priester wirklich vorbildlich gewesen war.

Akiko hörte zum ersten Mal, dass man ihren Vater »Shō-chan« genannt hatte. Als ältester Sohn und Tempelerbe war das sicherlich die Abkürzung für Shō'ichi oder Shōtarō. Aber nein, laut Tanaka-san war der erste Sohn des Tempels im Krieg gefallen, Akikos Vater hatte demgemäß als zweiter Sohn die Nachfolge angetreten. Akiko hatte sich also geirrt. Sie gab es auf, den echten Namen ihres Vaters erraten zu wollen. Da erzählte ihr Tanaka-san, dass die anderen Leute ihn »Shōryū-san« gerufen hatten, wie den Namen des Tempels: Shōryūji. Auch den Namen des Tempels hörte Akiko zum ersten Mal.

Mein Vater sah also aus wie ich, nur in männlich, und war der Hauptpriester des Shōryūji-Tempels gewesen.

Offenbar hatte er eine Übereinkunft mit dem Lokalinhaber gehabt. Er trat durch den Ladenvorhang im Eingang, glitt lautlos in eine Ecke des Lokals und erhielt dort eine kostenlose Mahlzeit. Mahlzeit war vielleicht zu viel gesagt, denn er aß nicht besonders üppig, meist ein simples Essen, bestehend aus einer Suppe und zwei einfachen Beilagen, die der Küchenchef extra für ihn zubereitete. Offenbar bestellte er immer nur die Reste aus der Küche.

»Aber Tempura, das mochte er besonders gerne«, erzählte Tanaka-san. »Da hat er immer ordentlich zugelangt.«

Plötzlich schoss Akiko ein Gedanke durch den Kopf: Frittiertes Tempura, das war doch die Spezialität ihrer Mutter gewesen! Sie hatte als Zutaten immer Kürbis, Daikon-Rettich, Süßkartoffeln, Mitsuba-Kraut und kleine Garnelen verwendet, dazu einen dünn frittierten Mix aus Muscheln und Gemüse.

Alles hatte köstlich geschmeckt. Akikos Mutter war immer stolz, dass es eines der beliebtesten Gerichte ihres Lokals gewesen war.

Akikos Mutter lachte und scherzte damals gerne beim Essen mit den Gästen. Mit manchen führte sie ausgiebige, aber oberflächliche Gespräche über alles Mögliche. Es gab ja keine Privatsphäre. Offenbar erzählte Akikos junge Mutter, ihre Eltern wollten sie verheiraten, was ihr gar nicht gefiel. Shōryū-san schien laut Tanaka-san stets nur ruhig zugehört zu haben. Wenn die anderen Gäste sich daran gestört fühlten, besänftigte er sie: »Kommen Sie gerne jederzeit zum Tempel, wenn Sie möchten.« Dann ging er. Laut Tanaka-san war sein Verhalten und selbst die Art, wie er die Geldscheine beim Zahlen überreichte, sehr vornehm gewesen.

»Früher waren die meistens Männer ja ziemlich ruppig. Aber dein Vater sah so gut aus, wenn er die Priesterrobe trug. Ich habe auch ein wenig für ihn geschwärmt, aber Kayo-chan hat ihn uns allen vor der Nase weggeschnappt. Was sind wir erschrocken, als wir erfuhren, dass Shōryū-san seine Ehefrau mit einer anderen betrog.«

»Entschuldigen Sie«, entschlüpfte es Akiko.

Shōryū-sans Frau war die Tochter eines alteingesessenen Kimonohändlers gewesen.

»Seine Frau war die Anmut in Person, bildhübsch und jedem wohlgesinnt. Sie hätte die wunderschönsten Kleider tragen können, doch ich sah sie immer nur in einem groben Seidenkimono oder in einem grauen Samue. Selbst zu formellen Anlässen trug sie nur einfarbige, höchstens unauffällig gemusterte Kimonos aus dem vorherigen Jahrhundert. Aber ihre Schärpe, die war immer ein Prachtstück, reinste Seide mit fein bestickten Mustern. Wir sagten uns immer: Seine Frau trägt den ganzen Tag den Samue, da muss sie sich ja zwischendurch mal fein herausputzen. Wenn jemand in der Nachbarschaft nächtlichen Ehekrach hatte und einen Ort zum Schlafen brauchte, dann kam er immer zu Shōryū-sans Tempel. Seine Frau hat ihnen, ohne mit der Wimper zu zucken, immer Unterschlupf geboten und sie am nächsten Tag sogar zurück nach Hause begleitet, so barmherzig war sie. Sie hat den Leuten kostenlos Ikebana und Nähen beigebracht und einen männlichen Nachfolger hat sie auch geboren, wirklich, so eine makellose Frau wie sie gab es kein zweites Mal.«

Und diese tadellose Frau hatten Akikos Eltern betrogen. Akiko seufzte bedrückt. Warum nur hatte sich ihr Vater auf ihre Mutter eingelassen, obwohl er doch solch eine wunderbare Ehefrau gehabt hatte?

Akiko dachte an ihre Mutter, die jeden Abend von männlichen Gästen umgeben gewesen war, sie hatte geraucht, getrunken und mit ihnen herumgeschäkert. Ihre ungestüme Mutter hatte vermutlich auch bei Männern nicht lange gefackelt. Mit einem Mal wurde Akikos unschuldige Kindheitserinnerung an das leckere Tempura von dieser Facette ihrer Mutter überschattet.

»Ich hatte nicht den Hauch einer Ahnung, wie Kayochan und Shōryū-san ein Paar wurden.«

Tanaka-san wirkte nachdenklich.

Ich will nun, auch um des guten Rufes meiner Mutter willen, die Wahrheit wissen, dachte Akiko.

»Kayo-chan hat ja nie ein Blatt vor den Mund genommen, aber selbst wenn Shōryū-san im Laden war, ist mir nie etwas aufgefallen. Dabei war auch ein anderes Mädchen in ihn verliebt. Die wusste, dass er verheiratet war, trotzdem hat sie ihm ständig geschmeichelt und ihm Essen ausgegeben. Doch ich glaube nicht, dass sie Erfolg hatte.«

»Und was ist aus diesem Mädchen geworden?«

»Sie hat sich auf einen Handwerker eingelassen und einen dicken Bauch bekommen. Sie war nicht besonders wählerisch. In der Gastronomie gab es damals genau drei Anlässe für junge Mädchen, um zu heiraten. Entweder man verliebte sich in einen Gast – aber vielleicht war das nur ich –, oder man wurde von seinen Eltern zurück in die Heimat geholt und verheiratet, oder man wurde ungewollt schwanger und zur Heirat gedrängt. Rückblickend war die Arbeit für junge Frauen damals nur ein Zeitvertreib, um ein wenig Geld zu verdienen, bis man einen Mann zum Heiraten gefunden hatte. Heutzutage arbeiten Frauen ja sogar, wenn sie heiraten oder Kinder bekommen. Das ist auch gut so. Wenn man früher nicht gerade fortschrittlich erzogen wurde, und wir waren es nicht, dann hatte man nur Heiraten im Kopf. Nichts war schlimmer als die Angst, keinen Mann zu finden. Und wenn man ein faules Ei erwischte, konnte man sich ja nicht einfach scheiden lassen.«

Akiko fragte sich, ob ihre Mutter wohl mit einem Mann zufrieden gewesen war, dessen Familie sie nie hatte kennenlernen und der sie niemals hatte heiraten können. Schließlich hatte sie ein Kind mit ihm gezeugt. War sie nur ein Unfall gewesen oder hatten sich ihre Eltern über sie gefreut?

»Im Lokal arbeiteten viele junge Mädchen«, sagte Tanaka-san weiter, »und alle hatten nur die Männer im Kopf. Manche sprachen ganz offen darüber, auf welchen Gast sie ein Auge geworfen hatten, andere wiederum behielten alles für sich. Wir haben über nichts lieber getratscht. Über Kayo-chan wurde auch viel getuschelt, aber dass sie sich ausgerechnet Shōryū-san geangelt hatte!« Den letzten Teil rief Tanaka-san ungläubig aus, sie schien es immer noch nicht fassen zu können.

Offenbar hatten über ihre Mutter verschiedene Gerüchte kursiert. Sie hatte, natürlich zu unterschiedlichen Zeiten, wohl ein Verhältnis mit einem jungen Tischler und einem Schaffner der damaligen Staatseisenbahn gehabt. Tanaka-san teilte eine Erinnerung mit ihr zu einem Sommerfest:

»Ich war damals mit meinem Mann, da waren wir noch nicht verheiratet, zusammen auf einem Sommerfest. Wir haben es vor allen geheim gehalten, daher habe ich deine Mutter nicht angesprochen. Sie trug einen dunkelblauen, leichten Sommerkimono mit großflächigem Schwertlilienmuster. Und als sie mit dem Schaffner zusammen war, einen indigofarbenen Yukata mit weißem Hahnentrittmuster. Ich sage dir, ihre Kragenpartie war ein wenig aufreizend geöffnet. Ihr Rendezvous war ein Jahr älter als sie, daher wollte sie bestimmt reifer wirken. Es war wirklich faszinierend, welch einen Unterschied ein Yukata machen kann.«

Akiko erinnerte sich nicht daran, ihre Mutter jemals in einem Kimono oder Yukata gesehen zu haben, wie merkwürdig, sich ihre junge Mutter so vorzustellen.

»Kayo-chan schien diesen Männern auch nicht abgeneigt, daher war ich fest überzeugt gewesen, sie würde einen von ihnen heiraten. Als sie dann von einem Tag auf den anderen verschwand, erzählte man sich, sie müsse eine bessere Partie gefunden haben, mit der sie durchgebrannt ist. Dabei war es in Wirklichkeit Shōryū-san!«

Es war nicht klar, ob ihre Mutter die beiden Männer für ihren Vater verließ oder ob sie sie als Ablenkungsmanöver benutzt hatte, um die Beziehung zu ihrem Vater zu verheimlichen. In jedem Fall hatten ihre äußerst scharfsinnigen Kolleginnen nichts von ihrem Verhältnis geahnt.

»Gab es nie Gerüchte, dass der Priester eine Affäre hätte?«

Das Wort »Vater« kam Akiko nicht über die Lippen, obwohl alles darauf hindeutete, dass er wirklich ihr leiblicher Vater war.

»Gerüchte?« Tanaka-san lachte vergnügt.

»Nun, unter den Mäzenen des Tempels gab es eine sehr reizende Witwe. Sie wurde einmal zusammen mit deinem Vater bei einem Spaziergang gesehen, sie sprachen bestimmt über die anstehende Gedenkfeier. Da wurde schon geredet, aber Shōryū-san hatte ja seine wunderbare Ehefrau, daher schöpfte niemand ernsthaft Verdacht. Er war ja auch solch eine angesehene Persönlichkeit, niemand dachte wirklich, dass es da noch eine andere Frau geben könnte. Und einen Sohn hatte er ja auch. Und trotzdem ... offenbar waren ungestüme Frauen wohl mehr nach seinem Geschmack.«

Tanaka-san schien der Gedanke zu amüsieren, doch Akiko hatte immer mehr das Gefühl, aus einem illegitimen Verhältnis entstanden zu sein.

»Dann war Kayo-chan plötzlich verschwunden, und ich habe einige Zeit später geheiratet und beim Lokal aufgehört. Wie bin ich erschrocken, als ich hörte, dass Shōryū-san plötzlich und unerwartet verstorben war. Solch ein guter Mensch, was für ein Jammer. Damals kursierte kurz ein Gerücht, bei dem Kayo-chans Name fiel. Doch jeder meinte, das sei unmöglich, schließlich habe Kayo-chan jemand anderen geheiratet. Erst als ich neulich in deinen

Laden kam, erfuhr ich, dass sie gestorben war und es dich gibt. Und dann sagst du, du kennst deinen Vater nicht. Du hast mir so leidgetan, daher musste ich dem Ganzen einfach auf den Grund gehen.«

Tanaka-san schien stolz auf ihren Erfolg zu sein. Kurz neigte Akiko ihren Kopf. »Ich danke Ihnen, dass Sie sich so viel Mühe gemacht haben.«

»Das ist nicht der Rede wert, so bin ich eben. Wenn jemand in Schwierigkeiten steckt, muss ich ihm einfach helfen.« Tanaka-san lachte.

Akiko sah sie irritiert an. *Habe ich wirklich so hilflos ausgesehen?*

Den Tempel von Akikos Vaters führte nun dessen Sohn, und auch seine Frau schien bei bester Gesundheit zu sein, erzählte Tanaka-san und nannte ihr die Adresse. Selbstredend befand sich dort auch das Grab ihres Vaters. Die Beerdigung ihrer Mutter hatte Akiko mithilfe von Sozialfonds der Stadt gestemmt, sie war dementsprechend schlicht gewesen. Die Urne ihrer Mutter befand sich drei Bahnstationen von Akikos Wohnort entfernt auf einem Friedhof in einer Grabstätte. Die Grabstätte war ein wohnhausähnliches Gebilde mit zahlreichen Fächern, in dem jeweils zwei Urnen Platz fanden. Ihre Mutter hatte dort, ohne es mit Akiko abzusprechen, noch zu Lebzeiten eine Grabstätte erworben. Akiko war erschrocken, als sie nach dem Tod ihrer Mutter die entsprechenden Dokumente fand. Ebenfalls hatte ihre Mutter bereits einem Tempel eine beträchtliche Geldsumme bezahlt, damit die Priester nach ihrem Tod dort jährlich für ihre Seele Sutren rezitierten.

Tanaka-san stand auf. »Bitte entschuldige nochmals, dass ich so hereingeplatzt bin. Wenn ich mir etwas in den Kopf gesetzt habe, bin ich kaum zu zügeln.«

Die ältere Frau verließ Akikos Wohnung und ging die Treppen herunter, in leicht vorgebeugter Haltung beschleunigte sie dann ihren Gang und verschwand um die nächste Häuserecke.

Akiko ließ sich in einen Stuhl fallen. Tanaka-sans Besuch hatte sie völlig erschöpft.

Taro kam zu ihr und maunzte sie sichtlich unzufrieden an.

»Ach, entschuldige«, sagte Akiko, »ich hatte Besuch und konnte noch gar nicht mit dir spielen.«

Sie holte das Katzenspielzeug mit einer Feder an einer langen Schnur aus einer Schublade, bei dessen Anblick sich Taros Pupillen sofort weiteten. Akiko wedelte mit dem Spielzeug herum, und der Kater sprang mit beiden Pfoten voran auf das Spielzeug, schnappte danach und purzelte über den Boden. Er packte das bauschige Ende und biss hinein.

Akiko lachte. »Oh, du bist aber ein starker Tiger. Da hat deine Mama keine Chance.«

Der Kater biss noch stärker in das fusselige Ende des Spielzeugs zwischen seinen Pfoten.

Eigentlich hatte Akiko an ihrem wertvollen freien Tag einige Erledigungen machen wollen. Doch nun, nach Tanaka-sans überfallartigem Besuch, fehlten ihr dafür die Kräfte.

Sie zog einen Stadtplan von Tokyo aus ihrem Bücherregal, schlug die Übersichtskarte des südlichen Bezirkes

Tama auf und suchte nach dem Tempel, den Tanaka-san ihr genannt hatte, er war ordentlich in der Karte verzeichnet.

Hier also liegt mein Vater begraben, dachte sie, *und hier leben mein Stiefbruder und seine Mutter.* Sie hätte sich nicht träumen lassen, dass solch ein kleiner Punkt auf einer Karte so wichtig für sie werden könnte. Eine Weile starrte Akiko gedankenverloren auf das Tempelsymbol auf der Karte, bis Taro sie zurück in die Gegenwart holte.

»Miau!« Er klang verärgert.

»Ach, entschuldige.« Akiko nahm ihn hoch.

Der Kater sah immer noch unzufrieden aus und murrte erneut.

»Na, wie wäre es, wenn wir uns heute einen schönen Tag zusammen machen?«, sagte sie zu ihm. Da gurrte Taro sichtlich zufrieden und rieb seinen großen Kopf immer wieder genüsslich gegen ihre Hand.

7

»Heute war ganz schön was los, oder, Taro?«

Akiko wandte sich an ihren Kater, der auf ihrem Schoß lag. Da klingelte plötzlich das Telefon. Es kannten nicht viele Leute ihre Privatnummer, daher ging Akiko in Gedanken ihre Bekannten durch, als sie den Hörer abnahm. Am anderen Ende war Shima-chan.

»Ähm, also, Akiko-san, bitte entschuldige. Ach, es ist etwas Schlimmes passiert, also, nein, so schrecklich ist es nun auch wieder nicht, aber, wie soll ich sagen …«

Sie klang ungewöhnlich nervös, das passte nicht zu ihr.

»Was ist denn passiert?«, fragte Akiko beunruhigt.

»Also, ich bin heute Morgen aufgewacht, also, eigentlich war es schon Mittag, aber auf der Treppe nach unten bin ich danebengetreten und habe mir den Fuß verstaucht.«

»Oh nein, ist alles in Ordnung?«

»Ich war bereits beim Arzt. Ich habe mir früher beim Sport ständig den Fuß verstaucht, das ist kein Problem, aber als ich gestürzt bin, habe ich mit meinem Hintern ordentlich die Treppenstufen geschrubbt. Ich habe überall blaue Flecken. Ehrlich gesagt, schmerzt es so sehr, dass ich kaum stehen kann. Also, deswegen … ich …«

Akiko kam ihr zu Hilfe, da Shima-chan Schwierigkeiten zu haben schien, den Elefanten im Raum auszusprechen.

»Alles klar, mach dir keine Sorgen und erhol dich gut. Sag mir einfach Bescheid, wenn du wieder arbeiten kannst.«

»Es tut mir wirklich leid, jetzt musst du den Laden ganz allein …«

»Vielleicht ist das das Zeichen, dass wir mal eine Urlaubspause machen sollten. Du hast ja wirklich ununterbrochen gearbeitet, bitte entschuldige.«

»Nein, nein«, wehrte Shima ab, »entschuldige, dass das so plötzlich kommt. Meine Mutter hat sogar angeboten, sie könnte als meine Vertretung einspringen, so leid tut es ihr.«

»Aber das ist doch nicht nötig«, erwiderte Akiko überrascht, »das ist sehr nett von deiner Mutter. Ich werde die Pause nutzen, um mich ebenfalls ein wenig auszuruhen. Lass uns doch das Café bis nächste Woche Montag schließen. Falls es dir dann immer noch nicht besser gehen sollte, meldest du dich einfach noch mal.«

»Es tut mir wirklich leid«, entschuldigte sich Shima-chan noch mehrmals, dann beendeten sie das Telefonat.

Anschließend ging Akiko umgehend nach unten ins Café, um die Urlaubsankündigung an der Ladenfront anzubringen. Da kam die Madame aus der Kaffeestube gegenüber und inspizierte Akikos Ankündigung.

»Herrje, was ist nur passiert?«

»Shima-chan hat sich verletzt, daher machen wir eine kurze Pause.«

»Sieh an, wie immer das Prinzesschen. Falls Sie Not am Mann haben sollten, kann gerne mein Mädchen einspringen, sie trägt sowieso nur Kaffee durch die Gegend und starrt Löcher in die Luft. Ich habe sie nur eingestellt, weil sie so hübsch ist und Kunden anzieht. Ich komme auch allein zurecht. Soll ich sie rüberschicken?«

Die besagte Bedienung, Sasaki Nozomi, war in der Tat bildhübsch und ein nettes Mädchen, sie trug jedoch ausgeflippte Hochsteckfrisuren, farbige Kontaktlinsen, künstliche Wimpern und war immer sehr stark geschminkt. Sie passte ganz und gar nicht in Akikos Café.

»Das ist sehr freundlich von Ihnen, doch wir haben entschieden, dass wir uns beide eine kleine Verschnaufpause gönnen.«

»Eine Verschnaufpause, Sie machen Urlaub? Ach, du meine Güte …« Die Madame verschwand murmelnd in ihrem Laden.

Inzwischen waren auf der Einkaufsstraße mehr Menschen unterwegs. Als Akiko wieder nach oben in ihre Wohnung gehen wollte, schnappte sie die Unterhaltung zweier junger Frauen auf:

»Sieh mal, das ist das Café, von dem gerade alle reden. Es gibt nur zwei Gerichte, doch die sollen ausgezeichnet sein.«

»Echt? Aber wenn man zweimal da war, kennt man doch schon alles.«

»Die Tagesgerichte wechseln aber.«

»Das ist mir trotzdem zu wenig. Die Qual der Wahl zu haben, ist doch der Spaß dabei. Da gehe ich lieber in eine Restaurantkette, da ist die Auswahl riesig!«

»Na, wenn du meinst.«

Ohne sich umzudrehen, kehrte Akiko wieder in ihre Wohnung zurück.

Taro gefiel es ganz und gar nicht, dass Akiko herumlief und tausend Dinge erledigte, obwohl er sie doch nun ganz für sich haben sollte. Als sie die Tür zur Wohnung öffnete, ließ er sich vor sie fallen und schaute sie vorwurfsvoll an.

»Miau«, quäkte er zutiefst unzufrieden.

»Ach, entschuldige, nur noch einen Augenblick Geduld, ja?«

Akiko benachrichtigte die Lieferanten, die ihr Lebensmittel und Brot brachten, dass sie bis Sonntag das Geschäft schloss. Ihre Geschäftspartner führten ebenfalls kleine Betriebe, daher zeigten sie großes Verständnis für ihre Situation: »Wenn hier jemand ausfällt, dann bricht bei uns auch alles zusammen.«

Zwar tat es Akiko um ihre Gäste leid, die nun umsonst kommen würden, doch den Cafébetrieb allein zu stemmen, war ausgeschlossen. Und die Bedienung aus dem Kaffeehaus oder Shima-chans Mutter würden ihr keine Hilfe sein.

»Na, wie sagt man?« Akiko wandte sich an ihren Kater. »Ich kann mich ja nicht vierteilen. Also, hilfst du mir, Taro-chan?«

Der Kater legte den Kopf schief und musterte Akiko versonnen.

»Danke, dass du gewartet hast. Na, komm her.«

Akiko breitete ihre Arme aus, und Taro sprang ihr aus dem Lauf auf den Schoß, sein Gewicht brachte sie beinahe aus dem Gleichgewicht. Akiko knuddelte ihn und nahm seine Vorderpfoten.

»Na, was können diese starken Pfötchen alles?«

Der stämmige Kater fiepste niedlich, und Akiko musste ein Lachen unterdrücken: »Stimmt, du kannst natürlich alles. Du bist mein Retter in der Not!«

Beim Klang ihrer Stimme schloss der Kater selig die Augen und begann laut zu schnurren.

Der Gedanke an die bevorstehenden vier Urlaubstage führte bei Akiko zu völliger Erschöpfung. Es war schwer zu glauben, dass Shima-chan, die aufgrund von Sportlichkeit und Geschick auf einer der besten Sportoberschulen des Landes aufgenommen worden war, wirklich auf der Treppe ausgerutscht sein und sich ihr Gesäß verletzt haben sollte. Akiko erkannte, wie leichtsinnig es gewesen war, anzunehmen, sie benötigten keine Ruhetage, da sie nicht Vollzeit arbeiteten. Bestimmt hatte Shima-chan sich extra für sie Mühe gegeben und, wenn nicht körperlich, dann jedenfalls bis zur psychischen Erschöpfung für sie gearbeitet. Vermutlich hatte sich Akiko zu sehr darauf verlassen, dass die kräftige und stämmige Shima-chan belastbar war. Eine Entschuldigung war fällig.

Am zweiten Tag ihres unerwarteten Urlaubs räumte Akiko ihre Wohnung auf und stellte ihre Möbel im Zimmer um. Dann öffnete sie die Schubladen ihrer Kommode und wollte ihre Unterwäsche sortieren. Verblüfft stellte sie beim Anblick einiger Wäschestücke fest, was ihr sonst nicht auffiel: »Habe ich das alles jemals getragen?«

Nach dem Waschen faltete sie normalerweise nicht jedes Kleidungsstück einzeln sorgfältig zusammen, so fielen ihr meist nur löchrige oder ausgefranste Teile auf, dabei hatte sie allerlei ausgewaschene, ausgeleierte Kleidungsstücke im Schrank. Ihre Augen waren auch nicht mehr so gut wie früher, daher inspizierte sie nun alle Teile genau.

»Da sind ja überall Schweißflecken«, stellte sie entsetzt fest, »das kommt alles weg.«

Sie schämte sich ein wenig, auch wenn niemand anderer als sie die Unterwäsche zu sehen bekam. Wie hatte sie das nicht bemerken können?

Die saugfähige Kleidung schnitt sie auf die Größe von Lappen zurecht und stopfte sie in eine Tüte. Diese konnte sie beim nächsten Hausputz verwenden, sie waren perfekt, um Taros Haarflusen zu beseitigen. Alle Kleidung aus Kunstfasern warf sie notgedrungen weg. Sie entschloss sich auch, den orangefarbenen Spitzenslip aus Polyester auszusortieren. Er war zwar edel, doch warum hatte sie sich gerade diese Farbe ausgesucht? Akiko schüttelte den Kopf. Sie erinnerte sich, dass sie auf der Arbeit einen Bonus erhalten hatte und sich etwas hatte gönnen wollen. Im Schaufenster eines Dessousgeschäfts hatte sie dann das besagte Stück entdeckt und war in einen Kaufrausch verfallen. Zwar war der Schlüpfer ungetragen, doch sie konnte ihn wohl kaum jemandem weitergeben oder dem örtlichen Kirchenbasar spenden. Zugleich verspürte sie kein Bedürfnis, ihn zu tragen.

Als sie einmal so richtig angefangen hatte, beschleunigte sich ihr Sortiermodus, und sie zog ein in die Jahre gekommenes Stück nach dem anderen hervor:

»Das hier brauch' ich nicht. Und das hier auch nicht.«

Die Teile wanderten auf den Wegwerfstapel.

Jedes Mal, wenn Akiko in ihrem Zimmer zugange war, kam Taro dazu und beobachtete sie. Irgendwann sprang er dann in die Schubladen, sodass sie nicht weitermachen konnte.

Auch heute musste Akiko ihn wieder aus der Kommode pflücken. Kaum heraus, sprang er umgehend wieder hinein, und sie musste ihn erneut herausholen. Dieses Spiel wiederholte sich eine Weile, und dann war plötzlich ein beträchtlicher Teil der Schublade leer geworden. Dafür türmte sich nun ein Berg alter Kleidung vor Akiko auf. Sie nahm eine Schere, zerschnitt die aussortierten Blusen und Unterwäsche bis zur Unkenntlichkeit und füllte damit zwei große 45-l-Mülltüten. Sie war immer noch erstaunt, wie viel von dem vertrauten Inhalt der Schubladen, die sie jeden Tag auf- und zugemacht hatte, sie eigentlich nicht brauchte. Sie sah sich die sauber aufgeräumten Schubladen an und spürte, wie ihr leicht ums Herz wurde.

Die Küche auszusortieren, war am schwierigsten. Während ihrer Zeit beim Verlag hatte Akiko allerlei Kochutensilien von Herstellern erhalten. Wenn sie einkaufen ging, zog es sie nicht wie andere in westliche Fashionläden, sondern in Küchenfachgeschäfte, besonders hochwertige Töpfe hatten es ihr angetan.

Auf dem Regal über der Küchenzeile standen dicht an dicht die leichteren Utensilien wie Gewürzgläser und Pfannenwender, im Schrank unter der Spüle stapelten sich beschichtete Edelstahlpfannen, ein Wok und Töpfe aus Ton und Emaille. In den Schubladen war unzähliges Küchenbesteck aus Edelstahl, Holz und Plastik. Alles war zwar ordentlich sortiert, doch für eine allein lebende Person war die Sammlung wirklich beträchtlich. Gedankenverloren sah sich Akiko ihre Küchenausstattung an. Wenn sie hiermit anfing, würde sie kein Ende finden. Lautlos schloss sie die Schubladen wieder.

Den Nachmittag des dritten freien Tages widmete Akiko dem Inhalt ihres Kleiderschrankes. Sie besaß aufgrund ihrer jahrelangen Arbeit im Büro unzählige Blazer, Hosenanzüge, Blusen, Shirts und Hosen. Ihr Standardoutfit, der

Hosenanzug, war unentbehrlich gewesen, entsprechende Hosen, Oberteile und Accessoires hatte sie je nach Anlass gewechselt. Die Kleidung war hochwertig, schließlich hätte sie sonst als stellvertretende Abteilungsleiterin das Vertrauen ihrer Geschäftspartner verspielt. Einige Teile hatte sie sogar maßschneidern lassen. Doch diese Kleidung war nun nicht mehr länger Teil ihrer Lebenswelt.

Im Café trug sie lediglich eine Kochschürze aus Naturfaser, ein weißes Shirt und locker sitzende schwarze oder dunkelblaue Hosen, sonst keine anderen Farben. Ihr dunkelbrauner Harris-Tweed-Anzug, den sie gerne im Winter getragen hatte, fungierte nur noch als Staubfänger. Selbst im Schrank wirkte er noch so elegant, dass Akiko es nicht übers Herz brachte, sich von ihm zu trennen, doch vier andere abgetragene Anzüge durften gehen.

Dann waren die Oberteile an der Reihe. Akiko erschien es sinnlos, Blusen und Shirts, die sie jeden Tag im Verlag getragen hatte, weiterhin in einer Ecke verstauben zu lassen. Man sah es ihnen an, daher sortierte sie sie allesamt aus. Die Teile waren nichts für den Basar, also wanderten sie in die Tonne. Erneut entdeckte sie ein Kleidungsstück, bei dem sie sich wie schon am Vortag fragte, warum in aller Welt sie es nur gekauft hatte. Dieses Mal war es eine glänzende cremefarbene Rüschen-Satinbluse, vermutlich für feierliche Anlässe gedacht, dabei trug Akiko so etwas eigentlich nie. Mit einem Anzug wäre das Outfit sicherlich elegant gewesen, doch Akiko erinnerte sich nur, dass sie sich darin sehr alt gefühlt hatte. Für Abendanlässe hatte es ihr gereicht, ihren normalen Aufzug, Anzug und ein schlichtes Oberteil mit Ohrringen oder Accessoires aufzuhübschen. Akiko hatte die Bluse einmal ihrer Mutter angeboten, doch diese hatte mit den Worten abgelehnt: »Dafür muss ich mir ja erst mal ein neues Gesicht zulegen«, und damit war das Schicksal der Bluse besiegelt worden. Akiko erinnerte sich, dass sie die Bluse im Laden extra anprobiert und damals schon gemerkt hatte, dass das Kleidungsstück sie alt machte. Wieso nur hatte sie sie trotzdem mitgenommen? Es war ihr ein Rätsel.

»Was habe ich mir damals nur gedacht?« Akiko seufzte und legte die Bluse in die Kiste für den Kirchenbasar.

Dann waren da noch die Unmengen Schals und Stolen, bunte Farbtupfer im Kontrast zu Akikos sonst eher gedeckter Kleidung. Die meisten Stolen waren so gut wie neu. Akiko packte auch diese zusammen mit einigen kaum getragenen Schals in die Kiste für den Basar.

Obwohl Akiko für eine Frau vergleichsweise wenig Kleidungsstücke besaß, kamen bei ihrer Aktion sehr viele Teile zum Vorschein, die sie eigentlich nie trug. Würde sie noch im Verlag arbeiten, wäre es vielleicht anders, doch da sich ihre Situation geändert hatte, war ein modischer Stilwechsel fällig. Sie könnte genauso gut nun außerhalb der Arbeit nur noch Pyjamas tragen, aber das ging ihr doch etwas zu weit. Akiko sortierte einige Homewear-Kleidung aus, stattdessen entschied sie sich dafür, die Pullover und Hosen aus ihrer Bürozeit ab jetzt zu Hause zu tragen.

Seit Taro bei ihr lebte, hatte sie es zu Hause vermieden, die schönen Sachen anzuziehen, denn Taro sabberte beim Schmusen oder krallte genüsslich seine Pfoten in ihre Kleidung. Den Kater interessierte der Preis ihrer Kleidung nicht, er wollte lediglich von ihr gestreichelt und verwöhnt werden. Ihre guten Sachen würden sicherlich bald das Zeitliche segnen, doch das war besser, als sie im Schrank liegen zu lassen.

Als Akiko mit dem Aussortieren fertig war, hatte sich eine beträchtliche Menge an Basar-Spenden angesammelt. Sie war ganz schön erschöpft, daher machte sie sich erst einmal eine Tasse Kaffee. Dann streckte sie sich gemütlich auf dem Boden aus und nippte an ihrem Kaffee. Taro lag auf ihrem Bett und hielt ein ausgiebiges Nickerchen. Akiko blickte aus dem geöffneten Fenster in den Wolkenhimmel, und ein merkwürdiges Gefühl machte sich in ihr breit. Früher war sie um diese Uhrzeit im Verlag und gönnte sich eine kurze Kaffeepause. Der Kaffee aus der Maschine im Büro duftete und schmeckte ganz anders, doch er hatte immer ihre körperliche und mentale Erschöpfung gelindert. Vermutlich waren ihre alten Kollegen, die inzwischen leitende Positionen innehatten, gerade in Meetings oder hielten das Arbeitspensum ihrer Untergebenen im Blick. In ein paar Jahren wartete die Pensionierung auf sie. Akiko könnte noch als Freiberufliche mit ihnen arbeiten, doch nicht mehr im selben Rahmen wie früher. Diese Zeiten waren vorbei.

Andererseits hatte sie, bis sie das Café aufgab, eine verantwortungsvolle Arbeit inne. Eine Rente wartete nicht auf sie. Sie hatte in ihrer Lebensmitte noch einmal von ganz vorne angefangen, doch wie viele Jahre konnte sie das Café wohl noch führen? Arbeiten wie das Kleidersortieren strengten sie bereits sehr an, war sie wirklich in der Lage, das Café weiterzuführen? War es wirklich gut gewesen, den Laden einfach zu schließen, nur weil sich ihre Mitarbeiterin verletzt und Akiko keinen Ersatz hatte?

War es egoistisch, keinen Gedanken an ihre Gäste zu verschwenden? Wenn Akiko einmal anfing, darüber nachzudenken, wollte ihr Grübeln kein Ende nehmen.

Das entnervte Gesicht ihrer Mutter tauchte vor ihr auf.

»Akiko, du bist immer so ernst und zerdenkst alles. Menschen sind erst perfekt, wenn sie nicht mehr atmen.« Damals hatte sie ihre Mutter nur wortlos angesehen und gedacht: *Ich bin nur so ernst, weil ich sehe, wie nachlässig du bist.*

Doch aussprechen konnte sie diese Worte damals nicht. Nun, als Erwachsene, musste sie ihrer Mutter ein wenig recht geben. Diese Erkenntnis half jedoch wenig. Schließlich konnte sie nicht einfach ihren eigenen Charakter ändern – es war besser, damit leben zu lernen.

Da hob Taro, der direkt neben ihr lag, seinen Kopf und blinzelte sie verschlafen an.

»Taro-chan, ruh dich aus. Ich bin hier«, sagte sie ihm.

Er blieb eingerollt liegen und zuckte für einen Moment mit der kleinen Nase, dann schlief er wieder ein. Immer, wenn sie in dunkle Gedanken abzurutschen drohte, war Taro für sie da. Seine Anwesenheit allein half ihr schon.

Weiter zu Hause zu versauern, würde sie nicht auf neue Gedanken bringen. Am vierten Tag beschloss Akiko daher, den Tapetenwechsel Wirklichkeit werden zu lassen und neue Vorhänge zu kaufen. Sie wählte aus den handverlesenen Kleidern ein Outfit und sagte dann zu Taro: »Ich gehe einmal rasch einkaufen. Keine Sorge, ich bin gleich wieder zurück.«

Der Kater sah unzufrieden aus. Vom Bett aus beobachtete er Akiko, wie sie aus dem Haus ging, und schlief dann wieder ein.

Die Bahn war leer. Am Endbahnhof stieg Akiko in die U-Bahn um, dort setzten sich zwei elegant gekleidete ältere Frauen neben sie. Sie redeten angeregt über einen renommierten Theaterschauspieler, offenbar wollten sie sich sein Stück ansehen. An dem Halt, wo sich das Theater befand, waren es noch drei Stationen bis zu dem Einrichtungsgeschäft, in das Akiko gehen wollte. Zugleich waren es noch fünf Stationen bis zu dem Tempel von Akikos Stiefbruder.

Akiko hatte das Gefühl, dass sie sich nicht in sein Leben einmischen sollte. Bevor sie wusste, dass sich der Tempel ihres Vaters in diesem Viertel befand, hatte sie dort schon etliche Male unbehelligt in einem der vielen Restaurants zu Abend gegessen. Doch diese Gegend war nun plötzlich mit großer Bedeutung aufgeladen, nun, da sie wusste, dass der Mann, der höchstwahrscheinlich ihr Vater gewesen war, hier gelebt hatte.

Ob es in Ordnung war, sich den Tempel nur einmal anzusehen? Schließlich war ihr Vater längst tot, und falls sie ihrem Stiefbruder rein zufällig in die Arme laufen sollte, würde er wohl kaum erkennen, wer sie war. Akiko war so in Gedanken versunken, dass sie die Haltestelle verpasste, an der sie hätte aussteigen müssen, um in das Einrichtungsgeschäft zu kommen. Dann waren die beiden älteren Damen verschwunden, und die Bahn fuhr los in Richtung der besonderen Station.

Beim Aussteigen wurde sie mit einem Mal schrecklich nervös. Um den Bahnhof herum wimmelte es nur so von Menschen, denn hier befanden sich allerlei alteingesessene Kneipen und Lokale. Alt und Jung, Paare und Freundesgruppen – alle schienen den kleinen Ausflug hierher zu genießen.

Bestimmt konnte sich keiner von ihnen vorstellen, wie angespannt Akiko gerade war. Sie warf einen Blick auf den japanischen Konfektladen direkt neben dem Bahnhof und versuchte, ihre Nervosität zu unterdrücken. Im Schaufenster lagen kunstvoll handgemachte Süßwaren, passend zur Jahreszeit. Bei genauerem Hinsehen stellte Akiko jedoch fest, dass es sich lediglich um täuschend echte Plastikimitate handelte. Sicherlich begnügte sich der Inhaber damit, sodass er nicht unnötig Lebensmittel wegwerfen musste, da die Süßwaren bereits nach einem Tag verdarben. Im Ladeninneren tummelte sich eine Busreisegruppe und eine Konfektschachtel nach der anderen wanderte über den Ladentisch.

Neben dem Konfektladen hatte ein Souvenirgeschäft eröffnet. Er führte alles, was das Frauenherz begehrte: japanische Accessoires und Dekoartikel, Tücher und Taschen mit traditionellen Mustern, Schminkspiegel und Haarbänder. Akiko bewunderte die Auslage, doch sie spürte, dass sie in Gedanken ganz woanders war.

Was soll ich nur tun? Aber es ist ja nicht so, als ob ich mich mit ihnen verabredet hätte. Ich kann ja mal einfach außen vorbeilaufen, was soll schon passieren?

Ihr Herz klopfte ihr bis zum Hals.

Um sich etwas zu beruhigen, kehrte sie in ein traditionelles Kaffeehaus in der Nähe ein. In dem kleinen Schaufenster neben dem Eingang standen drei gläserne Behälter mit drei Füßen, die bis oben hin mit Kaffeebohnen gefüllt waren. Als Akiko ein Kind gewesen war, hatte in so gut wie jedem Kaffeehaus solch eine Dekoration im Fenster gestanden.

Im Erdgeschoss des Kaffeehauses befand sich der

Nichtraucherbereich, im ersten Stock waren die offenen Raucherplätze, von oben drangen dumpfe Männerstimmen und die schalen Rauchschwaden ihrer Zigaretten zu Akiko herunter, dazu ratterte im Hintergrund immer wieder die elektronische Kaffeemühle. Der Kaffee wurde hier offenbar noch frisch gemahlen zubereitet. Akiko hatte gehört, dass manche Cafés nur noch mit Wasser verdünnten Kaffee-Extrakt in der Mikrowelle erhitzten und dann als Kaffee servierten. Doch dieses Etablissement hier schien offenbar strenge Richtlinien zur Zubereitung der Lebensmittel zu besitzen, die in den Mündern ihrer Gäste landeten.

Aus dem Obergeschoss hörte Akiko Stimmen, dem Gespräch zufolge Geschäftsinhaber, die sich über die schlechte wirtschaftliche Lage unterhielten:

»Wenn es wenigstens nur die schlechte Konjunktur wäre, dabei macht uns der starke Yen gerade viel mehr Schwierigkeiten.«

»Bei uns sieht das auch nicht viel anders aus.«

»Ihr besitzt ja immerhin noch Immobilien.«

»Diese Bruchbuden sind nicht der Rede wert. Die müsste man erst mal wieder richtig in Schuss bringen, bevor sie etwas abwerfen.«

So lamentierten die Männer ausgiebig über dieses und jenes, gerade so, als ob sie sich gegenseitig mit ihrem Unglück überbieten wollten. Dann sagte einer der beiden ernst: »Na ja, es hilft nichts, anständig arbeiten und weiter geht's.«

»Du sagst es, du sagst es«, antwortete der andere, und damit war das Gespräch beendet. Die beiden Männer schienen zwei waschechte Edokko zu sein, die seit Generationen in Tokyo lebten. Sie klagten zwar allen ihr Unglück, das tat ihrer Geschäftstüchtigkeit jedoch keinen Abbruch. Selbst bei ernsten Themen wie eben verfielen sie nicht in Schwarzmalerei. Vielmehr war selbst in ihrem lamentierenden »Wie soll das alles nur weitergehen?« noch eine Spur von Schalk spürbar. Beinahe hätte Akiko vergnügt gelacht.

Der Kaffee wurde ihr in einer weißen, bis zum Rand gefüllten Tasse serviert, daneben angerichtet zwei Würfel Zucker.

Bei dem Anblick entschlüpfte es Akiko: »Oh, Würfelzucker habe ich ja schon lange nicht mehr gesehen.«

»Wir servieren unseren Kaffee traditionell so«, erklärte der Kellner. »Einmal unternahmen wir den Versuch, auf Zuckerdosen umzustellen, doch das sahen die Stammkunden gar nicht gerne. Einer sagte mir, er liebe es, ein Stück Würfelzucker mit dem Löffel in den Kaffee zu tauchen und ihm beim Auflösen zuzuschauen. Was für einen Unterschied ein Stück Zucker machen kann, doch offenbar gehört das für sie zum Kaffeehauserlebnis dazu. Seitdem servieren wir also wieder ausschließlich Würfelzucker.« Er lachte und verabschiedete sich mit einer kurzen Verbeugung. »Bitte, genießen Sie Ihren Kaffee.«

Das Traditionscafé hatte keine hübsche Bedienung und war etwas in die Jahre gekommen, aber es war Akiko äußerst sympathisch. Sie nahm sich beim Kaffeetrinken Zeit, bis sie sich wieder wie sie selbst fühlte.

8

Als Akiko wieder auf die Straße trat, waren wesentlich mehr Menschen auf der Einkaufsstraße unterwegs. Akikos Neugierde gewann die Überhand, und sie schaute sich jedes Restaurant auf dem Weg genau an: Da war eine preiswerte Kette mit großer Fläche und breiten Fensterfronten, die zum Eintreten einlud. Ein altes Ladengeschäft war nun eine kleine Soba-Nudelbar, daneben befand sich ein stylishes Café, das besonders junge Leute anzog. Es gab chinesische, westliche, afrikanische und italienische Restaurants. Eine Confiserie, die traditionsreiche japanische Desserts anbot, daneben ein Patisserie- und Tortengeschäft. Akiko gefiel das unbekümmerte Durcheinander. Dann entdeckte sie ein japanisches Lokal, das seit Kriegsende in Betrieb war. Es erinnerte sie an die Gaststätte ihrer Mutter, die sie so radikal umgebaut hatte. Sie warf einen Blick durch die Holzfenster. Anhand der Kleidung der Gäste schloss Akiko darauf, dass sie vermutlich in der Nachbarschaft wohnten. Zwei Frauen, eine ältere mit einem Arbeitskopftuch um den Kopf und eine mittleren Alters, standen hinter der Theke und unterhielten sich beim Zubereiten der Speisen vergnügt mit den Gästen. In einer Ecke des Ladens stand ein Fernsehgerät. Ein älterer Mann saß entspannt in einem Stuhl davor, ein Bein angezogen, und stocherte mit seinem Zahnstocher genüsslich im Mund herum, als wäre er in den eigenen vier Wänden. Jeder konnte sich in dem Laden der beiden älteren Frauen wie zu Hause fühlen.

Bei diesem Anblick überfielen Akiko nicht etwa Nostalgie, sondern fürchterliche Gewissensbisse. Überspitzt gesagt, hatte sie den Lebensraum der Menschen in ihrer Nachbarschaft zerstört. Die beiden Frauen hinter der Ladentheke sahen sich während der Arbeit kein einziges Mal an. Sie redeten und gestikulierten lachend mit ihren männlichen Gästen und schienen sich nicht darum zu kümmern, ob die Leute von draußen ins Fenster schauten oder ob sie in den Laden kamen. Sie waren vollends zufrieden, ihre aktuellen Gäste zu bewirten und mit ihnen zu scherzen. Die Gäste konnten ihnen ihr Leid klagen, waren sie niedergeschlagen, heiterten die beiden Frauen sie auf, gab es etwas zu feiern, feierten sie mit.

Akiko verspürte bei diesem Anblick ein schwer zu deutendes Gefühlsgemenge und wandte sich ab.

Sie ließ die breite Einkaufsstraße hinter sich, die Menschenmassen dünnten aus, und zwischen den mehrstöckigen Apartmentkomplexen und schmalen Fertighäusern entdeckte Akiko nun traditionelle Wohnhäuser aus Holz, die sich tapfer hatten halten können. Vor einem der kleinen, einstöckigen Häuser standen Unmengen Blumentöpfe mit farbenfoh blühenden Pflanzen. Wenn man einfach alles kaufte, was einem gefiel, dann endete man vermutlich so.

Ein aussortiertes Bücherregal neben dem Hauseingang diente zur Aufbewahrung der vielen Blumen, das reichte jedoch bei Weitem nicht aus, und so umgaben alle restlichen Blumentöpfe das Haus wie stolze kleine Grundstückswächter.

Akiko betrachtete einige rote und gelbe Blumen, sie sahen aus wie eine Buntstiftzeichnung. Da öffnete sich ratternd die Schiebetür des Hauseingangs, und eine alte Frau trat heraus. Sie trug ein Kleid, das einmal ein Yukata gewesen war, darüber eine weinrote Strickjacke.

»Huch, Sie haben mich aber erschreckt. Entschuldigen Sie.« Die ältere Frau lachte und verneigte sich kurz. Ihr fein säuberlich hochgestecktes, pechschwarz gefärbtes Haar verriet Akiko, dass die Frau früher eine Tokyoter Geisha gewesen sein musste.

»Nein, ich muss mich entschuldigen, dass ich vor Ihrem Haus herumstehe. Wie viele Blumen Sie haben ...«

»Ach, ich weiß gar nicht, was ich damit anfangen soll. Das passiert, wenn man alles mitnimmt, was einem gefällt. Immer wieder sage ich mir, jetzt ist Schluss damit, aber bei der nächsten hübschen Blume kann ich doch nicht widerstehen. Große Blumenkübel sind wenigstens zu schwer zum Tragen, aber die Blumenläden sind nicht dumm. So ein Blümchen passt ja einfach in die Einkaufstasche ... und schon ist es gekauft. Als mir der Platz ausging, konnte ich die armen Pflänzchen ja nicht wegwerfen, also habe ich neuen Stauraum freigeräumt, und nun haben wir den Salat.«

»Nehmen die Leute die Blumen denn nicht mit?«, fragte Akiko.

»Natürlich. Dafür lassen andere Blumen da.«

»Wirklich?«

»Ja. In der Nachbarschaft leben viele Senioren, die irgendwann nicht mehr allein leben können und ins Pflegeheim kommen. Häufig stellen die Angehörigen beim Aussortieren ihrer Häuser die Pflanzen einfach hier bei mir ab. Sie fragen mich natürlich nicht, was sollen sie denn tun, wenn ich ablehne? Sehen Sie das Liliengewächs dahinten? Eine Rohdea japonica, die kommt bestimmt von dem Neubau hinter dem Haus, die Angehörigen der alten Mieterin haben sie mir einfach hingestellt. Ich erinnere mich, sie vor langer Zeit in ihrem Garten gesehen zu haben. Was habe ich gestaunt, als sie plötzlich vor meiner Tür stand, als hätte sie Beine bekommen.« Die Frau redete ohne Unterlass. »Sie mögen doch Blumen, oder?«, wandte sie sich dann an Akiko. »Dann nehmen Sie eine mit, bitte, keine falsche Bescheidenheit!«

Akiko schaute die Frau überrumpelt an, diese ließ ihr gar keine Zeit zu reagieren, da war sie schon im Haus verschwunden und kam mit einer kleinen Plastiktüte wieder.

»Na, welche nehmen wir denn?«, fragte sie und ging durch die Blumentöpfe. Dass sie Akiko kein einziges Mal nach ihrer Präferenz fragte, verriet die Unnachgiebigkeit, mit der sie ihr Leben gelebt haben musste.

»Diese hier. Die sind schön, oder?«

Sie hielt Akiko zwei Primeln, gelb und rot, entgegen und sah sie erwartungsvoll an. Akiko nickte.

»Wunderbar.« Die Frau lächelte und steckte die beiden Blumen in die Plastiktüte.

»Mögen sie Ihnen Glück bringen.« Die Frau überreichte Akiko die Tüte mit den Primeln.

»Ich danke Ihnen, dabei wollte ich eigentlich nur einen kurzen Blick auf die Blumen werfen.«

»Nun machen Sie sich mal keine Gedanken, hier sind schließlich noch genug übrig. Unsympathischen Leuten schenke ich auch keine Blumen. Kommen Sie denn hier aus der Gegend?«

»Nein.«

»Ach so, ich hoffe, das macht Ihnen keine Umstände, aber die Pflänzchen sind ja nicht schwer, oder?«

»Nein.«

Die alte Frau lächelte erneut, verabschiedete sich und eilte in Richtung der Einkaufsstraße davon. Ihre Haustür stand noch offen. Akiko lächelte etwas gequält, wo war sie hier nur reingeraten? Sie hängte sich die Tüte mit den Blumen über den Arm und ging weiter.

Obwohl sie sich den Stadtplan nur einmal angeschaut hatte, wusste sie genau, wo sich der Tempel befand. Das lag nur an ihrem guten Orientierungssinn, nicht daran, dass sie sich etwa tief in ihrem Inneren von diesem Ort besonders angezogen fühlte oder gar eine karmische Verbindung zu ihm spürte. Sie lief einfach den Weg entlang, der auf der Karte verzeichnet gewesen war.

Akiko kam an einem kleinen Park vorbei, eine junge Familie spielte dort mit ihrem Sohn und einem Chihuahua. Die Eltern, um die zwanzig, sahen aus, als wären sie oft im schicken Shibuya unterwegs, ihre Ohren waren durchlöchert von Piercings. Der Sohn hatte blond gefärbte Haare, und dem kleinen Hund hatten sie eine pinkfarbene Schleife angesteckt. Sie nahmen den Jungen abwechselnd auf den Arm, herzten ihn und redeten angeregt mit ihm. Es war deutlich zu sehen, dass sie ihn sehr liebten. Der Chihuahua stellte sich auf die Hinterbeine und kläffte, als wollte er ebenfalls etwas von dieser Liebe abbekommen.

»Momo-chan will auch gekuschelt werden, ja?« Der Vater lachte und nahm den Hund auf den Arm. In diesem Alter waren die vier bereits eine richtige Familie.

So eine Beziehung habe ich nie mit meiner Mutter gehabt, dachte sich Akiko, als sie ihnen so zusah.

Aufgrund der vertrackten Situation war es ihrem Vater unmöglich gewesen, sich öffentlich zu ihr zu bekennen – stattdessen hatte er dafür gesorgt, dass sie materiell abgesichert war. Akikos Mutter hatte nie schlecht über ihn geredet oder sich über ihre Lage beschwert. Für Akiko hatte ihre Familie immer nur aus ihrer Mutter bestanden; hätte sie als Kind mehr Kontakt zu ihrem Vater gehabt, würde sie heute vielleicht anders darüber denken. Doch da sie ihn nie kennengelernt hatte, konnte sie sich gar nicht vorstellen, wie es gewesen wäre, einen Vater zu haben. Doch so wie die junge Familie umarmten wohl die meisten Familien ihre Kinder und spielten mit ihnen im Park.

Ihrem Vater wäre dies unmöglich gewesen, und ihre Mutter hätte es vermutlich auch nicht zugelassen. Ihr Vater hatte zwei Söhne gehabt, sicherlich hätte man sie als seine Tochter sehr verwöhnt. Sie versuchte, es sich vorzustellen, und schüttelte dann hastig den Kopf, so etwas Törichtes durfte sie gar nicht erst denken. Sie wusste nicht, ob ihr Vater sie geliebt hätte. Sie wünschte es sich einfach so sehr. Doch nun, in ihrem Alter, war es müßig, darüber nachzudenken. Dass sie überhaupt darüber nachdachte, überraschte sie. Sie wusste nicht, was in ihrem Vater vorgegangen war. Er hatte nie auch nur den Versuch unternommen, sie kennenzulernen oder ihre Mutter wiederzusehen. Und durch seinen frühen Tod würde es nie mehr dazu kommen. Vermutlich war es besser so. Wäre Akikos Existenz ans Licht gekommen, hätte das zweifelsohne nur in Streitereien geendet. Ihr Vater hatte sich einfach eine heimliche Geliebte genommen und ein erfülltes Leben geführt. Das war alles.

Der Junge wurde quengelig.

»Du hast Hunger, was?«

»Gehen wir zu unserem Lieblingsladen?« Die Mutter nahm den Sohn auf den Arm, der Vater leinte den Chihuahua an, und gemeinsam verließen sie den Park. Sie schauten nicht einmal zu Akiko herüber.

Hinter dem Park befanden sich einige Kneipen, Bars und Karaoke-Etablissements, die nun zur Mittagszeit geschlossen waren. Vor den Läden lagen fünf schläfrige Katzen und dösten.

»Schönen guten Tag«, sagte Akiko zu jeder von ihnen, worauf drei der Katzen mit einem Miau antworteten. Die anderen beiden blinzelten und schienen wieder einzunicken. Sie ließen sich am Kopf kraulen, und die dickere der beiden Katzen, mit hellbraunem Fell, ließ sich auf die Seite plumpsen und drehte Akiko ihren Bauch hin.

»Bitte einmal streicheln«, schien sie Akiko zu sagen.

»Wie Sie wünschen«, sagte Akiko und rieb der Katze den Bauch im Uhrzeigersinn, so wie sie es bei Taro machte.

Die Katze begann rasselnd laut zu schnurren.

Sie ist noch fordernder als Taro, dachte Akiko und prustete beinahe.

»Du bist ja ein Feiner«, sagte sie und streichelte die Katze weiter. Aus ihrem Augenwinkel sah Akiko eine schwarze Katze auftauchen. Sie setzte sich neben Akiko und musterte ihre Artgenossin, die sich von Akiko den Bauch kraulen ließ.

»Na, möchtest du auch?« Als Akiko den Arm nach ihr ausstreckte, rannte sie davon.

»Du brauchst wohl noch etwas Zeit, was?«, sagte Akiko zu ihr. Sie spielte noch ein wenig mit den Katzen, dann verabschiedete sie sich und ging weiter. Als sie sich kurz noch mal umdrehte, sah sie ein junges Pärchen bei den Katzen sitzen und Fotos machen.

Akiko beruhigte ihre aufgewühlten Gefühle und ging langsam weiter. Ein älterer Mann fuhr einen Hund in einem Kinderwagen spazieren, der alte Hund war in ein Handtuch eingewickelt, vermutlich konnte er nicht mehr gut laufen.

»Heute haben wir vorzügliches Wetter, was?«, sagte der Mann zu seinem Hund. Der Hund drehte den Kopf zu seinem Herrchen und begann mit dem Schwanz zu wedeln, als würde er ihm zustimmen. Es war deutlich erkennbar, dass die beiden selbst ohne Worte eine besondere Verbindung hatten. Das brachte Akiko zum Nachdenken. Meinen Vater und mich hat überhaupt nichts verbunden, dachte sie. Sie besaß nichts von ihm, außer einem Zettel, den er geschrieben hatte. Das war nichts. Ihre Mutter hatte ihr zwar gesagt, dass sie die Fotos von ihrem Vater verloren hatte, aber Akiko beschlich der Verdacht, dass sie sie vielleicht sogar absichtlich weggeworfen hatte. Wäre ihr Vater noch am Leben, hätte ihre Mutter vielleicht gewollt, dass er Akiko kennenlernte. Doch er war tot, und vermutlich hatte ihre Mutter all seine Fotos weggeworfen, um mit der Vergangenheit abzuschließen. Akiko nahm ihr das übel. Ihre Mutter hatte alle ihre Unterlagen stets sorgfältig aufbewahrt, sie musste die kostbaren Fotos in einem Moment, als Akiko nicht aufpasste, entsorgt haben. Das war jedoch nur reine Spekulation.

Je näher Akiko dem Tempel kam, desto stärker klopfte ihr Herz. *Nun bin ich also schon in dem Alter, in dem ich bei einem Spaziergang Herzrasen bekomme,* dachte sie sarkastisch. Sie passierte eine Hecke und stand plötzlich vor dem Haupttor des Tempels. Haupttor war vielleicht zu viel gesagt, denn der Eingang mit seiner bescheidenen Steinsäule, die den Namen des Tempels trug, war nicht besonders imposant. Im Gegensatz zu großen, bekannten Tempeln, die überwältigend wirken konnten, war dieser hier wirklich klein, aber fein. Die Tempelanlage war ordentlich gefegt und wirkte einladend. Akiko wagte nicht, hineinzugehen, und lief stattdessen ein wenig vor dem Tor hin und her.

»Opa, sieh mal!«, hörte sie plötzlich ein Kind rufen.

Opa?

Akiko drehte sich in Richtung der Stimme um und entdeckte einen Jungen in Geta und einem traditionellen Jinbei. Die leichte Baumwollhose reichte ihm bis zu den Knien und die Ärmel endeten an den Ellenbogen.

»Ich komme«, antwortete eine gelassene Stimme, und dann tauchte ein großer, älterer Mann in einem Samue auf. Akiko erstarrte.

Das ist mein Vater, schoss es ihr durch den Kopf. Im nächsten Moment wusste sie, dass das Unsinn war, und schämte sich, dass sie ihrem Wunschdenken nachgegeben hatte. *Mein Vater war dreißig Jahre älter als meine Mutter und außerdem ist er tot.* Akiko holte einmal Luft, dann tat sie so, als wäre sie gerade zufällig vorbeigekommen, und versteckte sich hinter der Säule am Eingangstor.

»Hier war ein Käfer.«

»Ja? Was denn für einer?«

»Ich weiß nicht, er war grün und hier hatte er so einen langen Bart.«

»Das nennt man Antennen.«

»Antennen?«

»Genau, sie sitzen beim Käfer am Kopf. Wir sehen nachher mal im Bilderbuch nach, dann wissen wir mehr.«

»Ja!« Der Junge klang erfreut. Hinter dem Zaun fragte sich Akiko, was in aller Welt sie hier tat. Da sprach sie plötzlich jemand an.

»Guten Tag«, sagte eine freundliche Stimme, und eine anmutige, ältere Frau tauchte vor ihr auf. Auch sie trug einen Samue und gehörte damit zweifellos zum Tempel.

Oh nein.

Hastig deutete Akiko auf einen großen Pflanzenkübel mit Engelstrompeten, der direkt neben dem Eingangstor stand.

»Was für ein prächtiges Exemplar Sie da haben«, sagte sie, um ihre Panik zu überspielen.

»Ein Mäzen des Tempels hat sie uns zum Geschenk gemacht. Er hatte sich einen Hund angeschafft und uns die giftige Pflanze überlassen. Sie blüht wirklich wunderschön.«

Sie sprach so ruhig und sanft, dass sich Akiko beim Zuhören unwillkürlich entspannte. Der Mann, den der Junge Opa genannt hatte, hatte Akiko und die Frau entdeckt und kam auf sie zu. Akiko schien das Herz gleich aus der Brust springen zu wollen.

»Guten Tag«, sagte der Mann.

»G–guten Tag.« Akiko verbeugte sich hastig.

»Sie meinte die Engli~l..., die Ängel..., die Engelstrumpf«, die Frau hatte Schwierigkeiten, den Namen auszusprechen, »nein, die Engelstrompeten seien sehr schön.« Sie sah den Mann an.

»Ja?«, griff dieser die Konversation auf und wandte sich an Akiko: »Das ist sehr nett von Ihnen. Unser Garten ist nicht besonders groß, aber schauen Sie sich doch gerne um.«

Nun konnte sie wahrlich schlecht wieder gehen. Was sollte sie nur tun?

Da ertönte plötzlich eine muntere Stimme hinter ihr:

»Ich grüße Sie.«

Akiko drehte sich um, vor ihnen stand ein Mann mit ungewöhnlich tiefer Stimme, die Akiko sonst nicht oft hörte. Es war der Gärtner.

»Haben Sie vielen Dank für Ihre Arbeit letztes Mal«, sagte der Mann vom Tempel.

»Aber nicht doch. Bei Ihnen, Ryū-san, sollte kein Halm falsch liegen. Es ist mir eine Freude, mich um den Garten zu kümmern.«

»Sie wollen mir doch nicht etwa sagen, dass sie bei anderen Gärten die Grashalme falsch liegen lassen?«, sagte der Mann im Samue.

»Das kommt öfter vor, als Sie denken«, feixte der Gärtner. »Ich verabschiede mich.«

Er verließ den Tempel in Begleitung seiner beiden jungen Gehilfen in Richtung Einkaufsstraße.

Er hat ihn Ryū-san genannt. Tanaka-san hatte recht, es gibt eine Verbindung zu dem Namen Shōryū.

War der Mann vor ihr also ihr Halbbruder? Das würde die bezaubernde Dame zu seiner Frau machen.

»Bitte, kommen Sie doch herein.« Der Mann bat sie in den Garten, er konnte ja nicht ahnen, was in Akiko vorging. Der Garten bestand aus einer Kiefer, einem Kirschbaum, Azaleen und japanischen Kamelienbüschen. Im Blumenbeet hatte jemand Chrysanthemen angepflanzt.

»Dort hinten blühen gerade die Tulpen, Rosen haben wir auch. Ab und zu bekommen wir Pflanzenzwiebeln geschenkt, daher blühen hier sowohl japanische als auch westliche Blumen. Nur weil es ein Tempel ist, heißt das nicht, dass es nur einheimische Gewächse gibt. Jede Blume, die blüht, ist eine Freude. Moos ist ebenso schön, wenn man sich ein wenig mehr damit beschäftigt. Wenn ich mich mit meiner Lupe in die Beete setze, schilt mich mein Mann, ich solle doch bitte aufrecht sitzen, schließlich wisse man nie, wer zuschaue.«

Die Frau blickte kurz zu ihrem Mann hinüber.

»Ich ermahne dich nicht, ich weise dich nur darauf hin, ein wenig aufrechter zu sitzen, das ist alles.«

»Entschuldige bitte, ich werde in Zukunft darauf achten.«

»Dann ist ja alles gut.«

Der Junge baute sich vor seinem Großvater auf, er schien unzufrieden zu sein, dass sich alle Aufmerksamkeit auf Akiko richtete.

»Opa!«, rief er.

»Ja, ich höre dich, bitte schreie nicht so.«

Der Mann ermunterte Akiko nochmals, sich in Ruhe umzusehen, und verabschiedete sich mit einer Verbeugung. Dann nahm er den Jungen an der Hand, und sie gingen gemeinsam in das Innere des Tempels.

»Ist dieser Herr Ihr Ehemann?«

»Ja, er ist der Abt dieses Tempels.«

»Stammen Sie auch aus einer Tempelfamilie?«

»Nein, meine Familie waren Angestellte. Mein Mann und ich waren an derselben Universität, und eigentlich wollte ich in Frankreich studieren. Nun ja, nun bin ich hier im Tempel gelandet.« Sie lachte vergnügt. Dann erzählte sie Akiko, dass der kleine Tempel bereits seit Generationen hier in der Nachbarschaft sei und hohes Ansehen bei den Anwohnern genoss. Auch über die Entstehung des Tempels verlor sie ein paar Worte.

»Ich möchte nicht prahlen, doch der ehemalige Abt, alle nannten ihn Shōryū-san, war ein sehr besonderer Mensch. Er und seine Frau haben mich Unwissende wie ihre eigene Tochter behandelt. Es war schrecklich, als er plötzlich verstarb, doch auch dank der Unterstützung der Mäzene konnten wir seinen Tod gut überwinden.«

Der Frau des Abtes entwich ein kleiner Seufzer.

Und das Ergebnis des heimlichen Abenteuers eures tollen Abtes bin ich. Akikos Herzrasen wurde wieder stärker.

Sie sah sich den Garten an, auf Einladung der Frau betete sie vor der geweihten Buddhastatue im Tempel, und zuletzt erhielt sie sogar noch eine Tasse Tee.

»Bitte entschuldigen Sie nochmals die Störung«, sagte Akiko und verbeugte sich.

»Aber nicht doch. In einem Tempel ist jeder herzlich willkommen. Wir freuen uns, Ihre Bekanntschaft zu machen. Kommen Sie gerne jederzeit wieder vorbei«, antwortete die Frau. »Wir sind beinahe fertig«, sagte sie dann, zum Haus hin gewandt.

Der Abt, Akikos potenzieller Bruder, trat aus dem Inneren des Tempels.

»Es ist schön, Sie kennengelernt zu haben. Bitte besuchen Sie uns bald wieder«, sagte er und legte zur Verabschiedung die Handflächen aneinander. Akiko vergrub die verbotenen Worte *»Ich bin Ihre Schwester«* tief in sich und bedankte sich: »Vielen Dank für Ihre Gastfreundlichkeit.«

Dann ging sie.

Sie musste geträumt haben, was eben im Tempel passiert war. Im Zug nach Hause rief sie sich, wohl wissend, dass es nichts änderte, das Gesicht des Abtes in Erinnerung. Sie wusste, dass etwas in ihr nach Ähnlichkeiten suchte. Wenn er den Tempel übernommen hatte, musste er der älteste Sohn ihres Vaters sein. Vielleicht war es aber auch aus unbekanntem Grund der jüngere, diese Möglichkeit bestand auch. Sie konnte ja nicht gleich bei der ersten Begegnung mit der Tür ins Haus fallen. Was hatte sie davon, Ähnlichkeiten zu suchen? Selbst wenn er wirklich ihr Bruder war, würde dies nichts an ihrem Leben ändern. Er hatte sein Leben, sie hatte ihres. So zu tun, als wäre sie eine zufällig vorbeikommende Passantin, und so den Tempel ihres Vaters zu betreten, hatte ihr eine große Ruhe verschafft. Es ließ sie hoffnungsvoll werden, sollte dieser Mann wirklich ihr Bruder sein. Auch ihre Schwägerin schien eine wunderbare Frau zu sein. Akiko hatte bisher ihr Leben selbst geregelt, doch nun hatte sie das Gefühl, dass sie diesen beiden ihr Herz ausschütten konnte. Und trotzdem.

Es war undenkbar, dass sie sich vor ihren Bruder stellte und ihm die Wahrheit sagte: »Ich bin deine Schwester.« Sollten die beiden von nichts wissen, würden sie mit großer

Wahrscheinlichkeit einen Schock erleiden. Das Vertrauen in den angesehenen Vater könnte Schaden nehmen. Ihr Bruder und seine Frau führten solch ein friedliches Leben.

Und ich habe ja auch mein eigenes Leben, es ist zwar nicht perfekt, aber ich schaffe das schon. Akiko hatte fünfzig Jahre lang ohne sie gelebt, es war also nicht nötig, ihr Leben auf den Kopf zu stellen.

Denn erstens: Akiko hatte keinen handfesten Beweis, ihr Vater hatte die Vaterschaft nie anerkannt. Es gab auch keine Fotos, auf denen sie mit ihrem Vater zu sehen war. Seine handgeschriebene Notiz half ihr da auch nicht weiter. Die Aussagen ihrer Mutter und Tanaka-sans ergänzten sich zwar, doch ihre Mutter konnte genauso gut mit mehreren anderen Männern ein Verhältnis gehabt und sich bei der Vaterschaft geirrt haben. Das war zwar für Akiko kein besonders angenehmer Gedanke, doch vielleicht war ihr wahrer Vater sogar dieser Schaffner. Während ihrer Schwangerschaft war ihre Mutter zweifellos Shōryū-sans Geliebte gewesen, doch Akiko besaß keine Beweise, dass er tatsächlich ihr Vater war.

Ich habe keinerlei Beweise, daher sollte ich lieber nichts Unüberlegtes tun.

Die Bahn zurück nach Hause schaukelte sie hin und her. Akiko entschied, dass sie den heutigen Tag in guter Erinnerung behalten wollte. Sie hatte den Tempel besucht und einen schönen Moment mit ihrem Bruder und seiner Frau geteilt. Ihr Blick fiel auf die Tüte mit den Primeln, das weckte ein Gefühl in ihr. Sie war traurig, ja, doch zugleich war sie sehr froh, dass sie ihren Bruder und seine Frau kennengelernt hatte.

Als sie aus dem Zug stieg und auf ihr Handy schaute, sah sie eine Nachricht von Shima-chan. Sie schrieb, dass sie wieder arbeiten könne.

Akiko rief sie umgehend an. »Shima-chan, geht es dir wirklich wieder gut?«

»Bitte entschuldige, Akiko, du musstest meinetwegen den Laden schließen.« Shima-chan klang geknickt.

»Aber nein, es hat mir gutgetan, mich auszuruhen. Erholung ist wichtig, um wieder gut arbeiten zu können. Wenn du morgen wieder arbeiten kannst, dann sehen wir uns wie immer in alter Frische.«

Akiko wusste, dass sich Shima-chan beim Telefonieren tausendmal verbeugte. Sie hatten pausenlos gearbeitet, nun, dank dieser Unterbrechung, hatte Akiko vom Arbeitsmodus ins Private umschalten können. Das hatte ihr gutgetan. In letzter Zeit war sie bereits beim Aufstehen erschöpft gewesen, doch nun freute sie sich darauf, neue Lebensmittel für das Café einzukaufen. Es war ein langer Tag voller schwieriger Themen zu ihrer Herkunft und ihrer Familie gewesen, doch nun ging sie leichten Schrittes zurück nach Hause.

Es war Abend und die Einkaufsstraße in Akikos Nachbarschaft wimmelte von Menschen. Junge Leute standen in Grüppchen herum und unterhielten sich. Zu Hause schlief Taro tief und fest, nicht einmal das Geräusch der Haustür weckte ihn. Akiko ging ins Bad und wusch sich die Hände. Vor dem Spiegel inspizierte sie ihr Gesicht. Dann drehte sie sich einmal nach links, dann nach rechts und strich sich den Pony aus dem Gesicht.

»Wie sähe ich wohl mit abrasierten Haaren aus?«

Bei dieser Vorstellung sah sie ihren Bruder in sich, dann wieder nicht. Sie blieb eine Weile vor dem Spiegel stehen, dann klopfte sie sich mit beiden Händen kurz auf ihre Wangen, atmete tief durch und lächelte sich zögerlich an.

9

Shima-chan war es sehr unangenehm, dass das Café aufgrund ihres Verschuldens hatte schließen müssen. Sie berichtete Akiko deprimiert, dass die Blutergüsse, die sie sich bei dem Sturz zugezogen hatte, immer noch nicht verschwunden waren.

»Es ist Wahnsinn«, sagte sie zu Akiko am ersten Tag und rieb sich ihren Hintern. »Bisher sind meine Blessuren immer von allein geheilt, aber dieses Mal wollen sie einfach nicht verschwinden.«

»Gib gut auf deinen Körper acht, schließlich willst du noch heiraten«, sagte Akiko. Als sie sich bewusst wurde, was sie da gerade gesagt hatte, errötete sie und lachte verschämt. »Aber nun klinge ich schon wie meine Großmutter.«

»Ob ich jemals heirate, steht in den Sternen«, sagte Shima-chan und lachte ebenfalls. »Ich glaube ja, nicht.«

»Sag doch so etwas nicht, du bist eine wunderbare, rücksichtsvolle Person«, sagte Akiko.

»Na, wenn du das sagst«, erwiderte Shima-chan.

Sie standen Schulter an Schulter in der Küche und bereiteten das Essen für den heutigen Tag zu. Akiko briet in einem riesigen Gastronomiekochtopf Zwiebeln an und fühlte, wie sie das in einen beinahe meditativen Zustand versetzte. Für andere mochten das Schälen und Kleinschneiden von Zwiebeln, Möhren und anderem Gemüse sowie das anschließende Anbraten im Topf mit dem hölzernen Pfannenwender der lästigste und ineffizienteste Arbeitsschritt sein, doch Akiko liebte es.

Sobald sie das Café öffneten, kamen wie immer die Gäste hereingeströmt.

»Sie hatten ein paar Tage geschlossen, nicht wahr?«, fragten zwei Frauen, die oft viermal in der Woche bei Akiko speisten.

»Bitte entschuldigen Sie, wir mussten wegen einer dringenden Angelegenheit schließen«, sagte Akiko.

»Ach, dann passen Sie unbedingt auf Ihre Gesundheit auf«, sagten sie verständnisvoll.

Akiko verbeugte sich und drehte sich dann einmal zu Shima-chan um. Diese ließ den Kopf hängen und wirkte geknickt.

Akiko fühlte sich bereits wieder in ihrem Alltag im Café angekommen, doch als sie am nächsten Morgen die neue Lebensmittellieferung einräumte, trat Shima-chan nervös an sie heran.

»Es ist zum Haareraufen, aber es kam nicht gut an, dass wir den Laden geschlossen haben«, sagte sie.

Sie erzählte Akiko, dass sich einige Beträge auf Gastronomieplattformen und Blogs über das Café beschwerten.

»Und was steht dort?«, fragte Akiko. Dieser Umstand war natürlich unangenehm, doch vielleicht waren die Kommentare ja hilfreich. Shima-chan sah pikiert aus. Dann zitierte sie einige Kommentare:

»Es zeugt von fehlendem Respekt gegenüber den Kunden, den Laden plötzlich zu schließen. Manche von uns nehmen extra einen langen Weg auf sich, ich will meine Fahrtkosten wieder.« – »Die immer gleiche Zwei-Gerichte-Karte ist öde. Könnten viel mehr Geschäft machen, wenn es mehr Auswahl gäbe.« – »Schmeckt fade.« – »Wucherpreise.« – »Die Inhaberin hat bestimmt einen Liebhaber, der ihr alles finanziert, der Laden ist bald wieder zu.«

»Faszinierend, wie viel Fantasie die Leute haben«, sagte Akiko. »Wenn sie so viel Zeit haben, einen kleinen Laden wie uns zu kritisieren, sollten sie lieber einen Roman schreiben und sich für einen Verlagspreis bewerben.«

Sie lachte kurz bitter. Sie konnte schwerlich erklären, warum sie das Café so kurzfristig geschlossen hatte, daher blieb ihr nichts übrig, als sich bei ihren Gästen zu entschuldigen. Was den Kommentar anging, ihr Essen schmecke fade, das war Geschmackssache. Liebhaber deftigen Essens wussten mit ihren leicht gewürzten Gerichten nun mal nichts anzufangen. Akiko erinnerte sich, wie verblüfft sie gewesen war, als eine Bekannte bei einem gemeinsamen Essen ihr Gericht, ohne es vorher zu kosten, mit Sojasauce und Worcestersauce übergossen hatte. Akiko wiederum mochte gerade den Eigengeschmack der Zutaten, das hatte besagte Bekannte jedoch mit einem »Dieses fade Gericht isst du einfach so?« kommentiert.

Auf Akikos Antwort »Fade? Das schmeckt doch wunderbar« hatte ihr Gegenüber sie verwundert angesehen und erneut Sojasauce auf ihren gebratenen Fisch geträufelt.

»Geschmäcker sind verschieden«, sagte Akiko zu Shima-chan. »Wenn wir uns an die Essgewohnheiten anderer anpassen, können wir den Laden auch gleich wieder schließen.«

»Da hast du recht.« Shima-chan nickte zustimmend und sagte dann, als wäre es ihr gerade wieder eingefallen: »Es tut mir wirklich leid, dass du den Laden schließen musstest.«

»Du musst dich nicht entschuldigen. Mir hat die Pause auch gutgetan, daher: Schwamm drüber.«

»Aber deswegen reden die Leute jetzt schlecht über das Café ...«

»Lass das mal meine Sorge sein«, sagte Akiko. »Es führt zu nichts, wenn man sich alles zu Herzen nimmt.«

»Das stimmt. Ich passe auf, dass ich nicht wieder auf meinen Hintern plumpse«, sagte Shima-chan mit ernster Miene, und Akiko musste lachen.

Sie behielten den einen Ruhetag in der Woche bei, und das Café wurde wieder gut frequentiert. Auch wenn es hier und dort Schwierigkeiten gab, verlief so weit alles zu Akikos Zufriedenheit.

An einem Dienstag, als sich Akiko bereits auf den morgigen Ruhetag freute, sah Taro nicht gut aus. Er fraß zudem immer weniger. Akiko hatte ihn bereits zuvor einmal hochgenommen und gefragt: »Na, was ist los mit dir?« Da hatte er noch laut geschnurrt. Doch heute wirkte er geschwächt und hatte sein Futter kaum angerührt.

Er drängte sie auch nicht mehr, »Fütter mich, fütter mich«. Er schnupperte zwar an seinem Trocken- und Nassfutter und leckte kurz darüber, trank dann ein wenig Wasser, doch dann rollte er sich wieder ein und schlief.

Akiko ging an diesem Tag während der Essenszubereitung einige Male nach oben in die Wohnung, um nach ihm zu schauen. Er hatte sich offenbar kein Stückchen bewegt, und Akiko fand ihn eingerollt schlafend am selben Ort wie am Morgen. Katzen werden also auch wie Menschen manchmal krank, dachte sich Akiko, ich werde ihn nach Feierabend zum Tierarzt bringen.

Zum ersten Mal sehnte sie den Ladenschluss herbei. Da Shima-chan sich nur wieder Sorgen machen würde, wenn sie ihr davon erzählte, gab Akiko ihr den übrig gebliebenen Bohnensalat mit, begleitete sie nach draußen und verabschiedete sie mit den Worten: »Also, dann bis übermorgen!«

Danach hastete sie nach oben. Taro schlief unverändert, doch etwas war mit seiner Atmung nicht in Ordnung.

»Taro-chan!«

Akiko holte die Transporttasche hervor, wickelte Taro in ein Handtuch und fuhr mit ihm zum Tierarzt. Als die Arzthelferin Akiko in ihrer Küchenschürze sah, schickte sie sie umgehend ins Behandlungszimmer, als hätte sie verstanden, dass es sich um einen Notfall handelte. Akiko legte Karte und Transporttasche auf den Behandlungstisch und öffnete sie, um Taro herauszuholen, der sich im hinteren Teil der Tasche eingerollt hatte. Er bewegte sich nicht mehr.

»Schnell!«, schrie Akiko. Der Arzt holte Taro hervor und legte ihn auf den Behandlungstisch. Er hörte mit dem Stethoskop Taros Brust ab und leuchtete ihm mit einer kleinen Stiftlampe in die Augen. »Es tut mir sehr leid …«, sagte er dann.

»Was? Was soll das heißen? Ist er tot?«, schrie Akiko auf.

»Ihr Kater zeigt keine Pupillarreflexe, und auch der Herzschlag ist nicht zu hören.«

»Aber, er hat einfach nur nichts gegessen. Gestern ging es ihm noch gut, es hat doch erst heute ganz plötzlich angefangen. Wie kann das sein?«

Akiko war außer sich, sie umarmte ihren Kater und sah den Arzt fassungslos an.

»Streuner tragen meist schon mit der Geburt Krankheiten in sich, ihr Immunsystem ist daher sehr anfällig. Die schlechte Ernährung der Katzenmutter, vor allem viel fettiges Futter, hat Auswirkungen auf ihre Jungen. Das dürfte auch der Fall bei Ihrem Taro gewesen sein.«

»Mein armer Kleiner ... aber, Taro-chan, das kann doch nicht wahr sein.«

Akiko streichelte ihn weinend, doch er fühlte sich anders an als sonst. Sein Körper wurde immer steifer, und auch sein schlafender Gesichtsausdruck wirkte plötzlich fremdartig.

»Taro-chan ... nein.«

Akiko kauerte sich auf der Stelle zusammen und vergrub ihr Gesicht in den Armen. Dann ermahnte sie sich, dass sie hier im Krankenhaus keine Szene machen sollte. Sie atmete tief durch und richtete sich auf.

»Haben Sie vielen Dank für Ihre Hilfe«, sagte sie tränenerstickt. Sie verbeugte sich vor dem Tierarzt, wickelte Taro wieder in das Handtuch ein und legte ihn in die Tragetasche.

»Mein aufrichtiges Beileid«, sagte der Arzt und verbeugte sich ebenfalls kurz. Der Arzthelferin, die Akiko assistiert hatte, standen ebenfalls die Tränen in den Augen.

»Hier bitte, nehmen Sie das.« Sie überreichte Akiko eine Adresse für einen Tierfriedhof. Akiko verbeugte sich ebenfalls vor ihr und verließ die Tierklinik.

Sie konnte sich nicht erinnern, wie sie es nach Hause geschafft hatte. Die Worte des Tierarztes klangen ihr noch im Kopf, doch sie war sich beinahe sicher, Taro würde zu Hause wieder munter sein.

»Taro-chan, wir sind zu Hause«, sagte sie zu ihm.

»Miau«, würde er von sich geben, sich lange strecken, aus der Tragetasche heraustrotten und Akiko mit einem Blick zu verstehen geben, dass er putzmunter war. Doch der steife Körper ihres Katers bewegte sich nicht mehr.

Akiko brach bei seinem Anblick in Tränen aus.

»Es tut mir so leid, ich habe dich die ganze Zeit übersehen. Ich war immer nur morgens und abends für dich da. Dir ging es nicht gut, und du hast die ganze Zeit allein gelitten. Wenn es mir doch nur früher aufgefallen wäre, dann wäre das alles nicht passiert.«

Akiko nahm den leblosen Taro auf den Arm und machte sich tausend Vorwürfe. Hätte sie ihn nicht mit nach Hause genommen, wäre er bei einer anderen Familie gelandet, die sich bestimmt besser um ihn gekümmert hätte. Sie hätte Taro viel öfter umarmen und streicheln sollen. Sie hätte seinen kugelrunden, dicken Bauch nicht niedlich finden, sondern dafür sorgen sollen, dass er abnahm. Bestimmt war es nicht gut für ihn gewesen, dass sie ihn so viel allein gelassen hatte. Sie war so beschäftigt gewesen. Immer hatte sie ihn hintangestellt. Es zerriss ihr das Herz, dass sie nicht gemerkt hatte, wie schlecht es Taro gegangen war.

»Taro-chan …«

Egal wie oft sie seinen Namen sagte, er reagierte nicht. Wenn er in ihrem Arm eingenickt war, war das auch oft passiert. Doch heute fehlte die Körperwärme, seine Augen waren fest geschlossen und sein drolliges Gesicht wurde, vermutlich wegen der einsetzenden Totenstarre, immer starrer.

»Taro-chan, nein, nein.«

Sie hielt ihn im linken Arm und rieb ihm, so gut sie konnte, mit der rechten Hand über das Fell. Ewig stand sie da und rieb seinen kleinen Körper, doch nichts passierte. Akiko hielt ihn so fest im Arm, als versuchte sie, all die Zeit, die sie Taro allein gelassen hatte, wiedergutzumachen. Das Tier in ihren Armen war tot, doch das kümmerte sie nicht, stattdessen schien sie beinahe vor Liebe zu Taro überzuquellen. Große Reue mischte sich in ihre Zuneigung, denn sie hatte nichts für ihn tun können. Sie war noch nie so verzweifelt gewesen wie jetzt. Sie redete mit ihrem toten Kater und lachte dabei, dann hielt sie ihn im Arm und weinte fürchterlich.

»Du warst bis zuletzt so ein braver Kater, aber ich habe gar nichts für dich tun können.«

Hätte sie morgen arbeiten müssen, hätte Akiko nicht gewusst, wie. Als hätte Taro das geahnt, hatte er den Tag vor einem Ruhetag ausgesucht, um seine letzte Reise anzutreten. Bis zu seinem letzten Atemzug hatte er an Akiko gedacht, doch hatte sie ihm denn im Gegenzug ein schönes Leben bereitet? Akiko grämte sich zutiefst.

Bis in den späten Abend hinein hielt sie Taro auf dem Arm. Als sie sich ein wenig beruhigt hatte, wischte sie ihrem Kater mit einem warmen Handtuch das Fell ab und bettete seinen leblosen Körper auf ein frisches Handtuch. Dann ging sie ins Bad und hoffte die ganze Zeit, dass, wenn sie zurück ins Schlafzimmer kam, er sie mit seinen Kulleraugen erwartungsvoll anschauen würde, die sagten: »Ich habe Hunger.« Aber das passierte nicht. Sie legte sich neben Taros kalten Körper, und dann kamen wieder unaufhaltsam die Tränen.

Am nächsten Tag waren Akikos Augen erwartungsgemäß vollkommen verquollen. Sie hätte Taro gerne weiterhin neben sich liegen gelassen, doch das ging natürlich nicht. Sie rief den Tierfriedhof an, dessen Adresse die Arzthelferin ihr gegeben hatte. Die zuständige Person war sehr freundlich und fragte sie, ob sie Taros Asche in einer Urne mit nach Hause nehmen oder ihn auf dem Friedhof bestatten lassen wollte.

»Wir hätten heute noch einen Termin für die Einäscherung, sollen wir Ihnen einen kostenlosen Abholservice schicken?«

Akiko hatte nur die Hälfte ihrer Frage mitbekommen.

»Es ist nicht sehr weit, ich komme mit der Bahn«, antwortete sie und machte sich zur entsprechenden Uhrzeit auf den Weg zu dem Tierfriedhof.

Der Tierfriedhof lag zwei Bahnstationen von ihrer Wohnung entfernt, von dort konnte sie den Bus nehmen oder laufen. Akiko hatte Taro in ein weißes Handtuch gewickelt, ihn in eine mit einem Handtuch ausgelegte weiße Kiste gelegt und diese in eine feste Papiertüte getan. Anstatt die Tüte in der Hand zu halten, drückte sie sie sich an die Brust und stieg so in die Bahn ein. Das mochte für die anderen Fahrgäste ein wenig merkwürdig gewirkt haben, doch bestimmt hatte niemand erraten, dass sich in der Tüte eine tote Katze befand. Als sie ausstieg, entschloss sie sich, nicht den Bus zu nehmen, sondern bis zum Friedhof zu laufen. Im Blumenladen vor dem Bahnhof kaufte sie Taro drei weiße Chrysanthemen. Die Straße vor dem Bahnhof war, anders als in Akikos Nachbarschaft, zu beiden Seiten von Bäumen gesäumt. Die Luft war angenehm. In der ruhigen Wohngegend gab es so gut wie keine Einkaufsgeschäfte. Auf dem Weg durch die verschlafenen Straßen bereitete sich Akiko auf den Abschied von Taro vor.

Am Tierfriedhof angekommen, meldete sie sich am Empfang und erhielt ein paar Dokumente, die sie ausfüllen musste. Sie zahlte eine Gebühr von rund 45.000 Yen und wurde von der Empfangsdame in den Wartebereich geführt. Dort saßen bereits einige Menschen, die in derselben misslichen Lage wie Akiko waren. An der Wand des Warteraumes hingen einige Bilder von Tieren, die sehr alt geworden waren. Akiko öffnete die Kiste und nahm den eingewickelten Taro auf den Arm. Dann sah sie sich die Fotos genauer an. Eigentlich hätten sie diese Fotos traurig stimmen sollen, schließlich war ihre eigene Katze gestorben. Doch merkwürdigerweise schenkte ihr der Anblick der hochbetagten Tiere Trost.

»Sieh mal, die sieht aus wie du«, entschlüpfte es Akiko. Taro in ihrem Arm antwortete nicht. Akiko zuckte zusammen und spürte, wie ihr die Tränen kamen. Sie schämte sich, dass sie die Realität immer noch nicht akzeptiert hatte. Im Wartesaal saß eine Familie mit zwei Kindern, Schüler, die seelenruhig Zeitschriften gelesen hatten, dann brachen plötzlich alle in Tränen aus. Auf einem Stuhl stand ein großer, mit weißem Papier zugeklebter Karton. Darin musste sich ihr totes Haustier befinden.

Akiko stand in der Ecke des Wartebereiches und ließ ihre tote Katze im Handtuch nicht einmal los.

Die Empfangsdame rief die Familie auf, und sie verließen den Raum. Ein wenig später war Akiko an der Reihe. Sie wurde in einen Raum mit einem Tisch geführt, den man in einen großen Apparat mit zwei Klappen schieben konnte. Neben dem Tisch stand ein sympathisch wirkender, älterer Mann. Er verbeugte sich höflich und bat Akiko, Taro auf dem Tisch zu platzieren. Sie legte Taro die drei Chrysanthemen zwischen seine pummeligen Pfoten.

»Bitte verabschieden Sie sich jetzt von Ihrem Tier.«

Akiko hatte gedacht, dass sie nach all dem vielen Weinen unmöglich noch weitere Tränen in sich haben konnte. Doch sie war überrascht, dass ihr erneut wieder Tränen in die Augen schossen.

»Taro-chan, danke für alles. Ich danke dir so sehr.«

Sie streichelte sein Fell und bedankte sich immer wieder bei ihm. Es war so traurig, dass er nun von dieser Welt verschwinden würde, er, sein Fell, sein Köpfchen, sein Körper, alles. Sie konnte nicht aufhören zu weinen.

»Sind Sie so weit?«, fragte der Mann.

Akiko nickte.

»Es wird circa eine Stunde dauern, kommen Sie dann bitte wieder hierher«, wurde ihr gesagt, und Akiko verließ den Raum. Mit Rücksicht auf die trauernden Besitzer wurde ihnen der Anblick, wie ihr Tier in den Apparat geschoben wurde, erspart.

Akiko verspürte keine Lust, in den Wartebereich zurückzugehen. Sie trat stattdessen ins Freie, um durch den dicht bepflanzten Friedhof zu spazieren. Auf dem Gelände befanden sich einige Blumenläden, und in einiger Entfernung sah Akiko eine Urnenhalle mit einzelnen gravierten Grabsteinen sowie Familiengräber.

Akiko ging in ein Café und bekam mit einem Mal Hunger auf etwas Süßes. Sie bestellte ein japanisches Dessert mit süßem Bohnenmus und Mochi-Klößchen. Auch die

Bedienung war zuvorkommend und freundlich, sie nahm große Rücksicht auf die trauernden Gäste, die an diesen Ort kommen mussten. Das Café hatte große Außenfenster, die einen schönen Blick auf die Friedhofsanlage boten. Akiko schaute eine Weile hinaus und begann sich allmählich von dem Schock des vergangenen Tages zu erholen.

Zwei ältere Frauen saßen hinter ihr an einem Tisch und unterhielten sich.

»Meine Kleine wurde ganze achtzehn Jahre alt, ach, welch ein Glück ich hatte.«

»Ja, so muss man denken. Es hilft ja nichts, traurig zu sein.«

Sie nickten sich gegenseitig zu. Als würden sie sich nicht richtig zuhören, wiederholten die beiden Frauen immerzu dieselben Sätze:

»Achtzehn Jahre, so eine lange Zeit.«

»Es hilft ja nichts, traurig zu sein.«

Ein Außenstehender hätte sich womöglich über diese Szene amüsiert, doch alle hier Anwesenden fühlten wie die beiden Frauen: Da war die Liebe für das verstorbene Tier, die Schuldgefühle und das Bewusstsein, dass man nicht in der Trauer versinken durfte. Etwas anderes gab es für sie nicht. Selbst wenn man versuchte, das Thema zu wechseln, wurde man von seinen Gefühlen überwältigt, und die emotionale Schleife begann erneut.

Beim Verlassen des Cafés warf Akiko einen kurzen Blick auf den Tisch der beiden Damen, sie sahen sich einen dicken Ordner mit Fotos von einer kleinen Shih-Tzu-Hündin mit zwei pinkfarbenen Schleifen an den Ohren an.

Nach einer Stunde ging Akiko in den Raum zurück, in dem sie sich von Taro verabschiedet hatte, um seine Asche abzuholen. Überraschenderweise blieb die Traurigkeit aus. Sie erhielt ein paar zeremonielle Stäbchen, um Taros Gebeine in die Urne zu geben. Der freundliche Mitarbeiter kümmerte sich um den Rest. Er versiegelte die Urne, stellte sie vorsichtig in eine hölzerne Kiste, die er in ein Tuch einschlug und dann an Akiko zurückgab. Akiko wickelte die Kiste zusätzlich in ein Furōshiki-Wickeltuch und legte dann alles in die große Papiertüte.

Sie lief zurück zum Bahnhof und stieg in die Bahn ein. Wie bereits auf der Hinfahrt hielt sie die ganze Fahrt über die Tüte an ihre Brust gepresst. Sie fühlte sich merkwürdig friedlich. Die Traurigkeit schien versiegt zu sein.

»Taro-chan, wir sind wieder zu Hause«, sagte Akiko, als sie in die Wohnung eintrat. Sie stellte die Kiste auf ein Schränkchen. Das hier würde ab heute Taros Hausaltar sein. Akiko entschloss sich, ein Schälchen Wasser und etwas Trockenfutter, Räucherstäbchen und Blumen sowie das schönste Foto von Taro neben seine Kiste zu platzieren. Sie nahm sich ein Räucherstäbchen und eine Blume vom Altar ihrer Mutter, goss etwas Wasser in ein Sakeschälchen und stellte alles vor Taros Urne auf. Akiko besaß keinen traditionellen buddhistischen Hausaltar, stattdessen standen auf einer Kommode die Erinnerungsfotos ihrer Mutter. Dort wäre wohl auch der beste Platz für Taro, doch bei diesem Gedanken schien ihre Mutter sie vorwurfsvoll anschauen. »Ich soll neben der Katze stehen?«, schien sie zu sagen, daher ließ Akiko es sein.

»Bitte pass gut auf Taro auf, er ist sicher bald bei dir«, sagte sie zu dem Foto ihrer Mutter und legte die Hände zum Gebet aneinander.

Nun, nachdem Akiko alle Pflichten als Taros Frauchen erledigt hatte, wich mit einem Mal alle Kraft aus ihrem Körper. Sie hatte zu nichts mehr Lust. Sie setzte sich auf den Boden und starrte eine Weile vor sich hin.

»Taro-chan, du bist zu weit weg«, sagte sie und nahm die Holzkiste in den Arm.

»Taro-chan, warum bist du nur gestorben?«, flüsterte sie immer und immer wieder mit tränenerstickter Stimme und weinte. Die Kiste war hart und kalt, im Gegensatz zu Taros weichem, warmem Körper und seinen samtigen Pfoten. Wenn sie sich vorstellte, dass Taro sich darin befand, konnte Akiko die Kiste nicht beiseitestellen.

»Mama, Taro-chan, meine ganze Familie ist von einem Tag auf den anderen verschwunden«, schluchzte sie.

Bei der Beerdigung ihrer Mutter hatte sie zwar auch getrauert, doch nicht so sehr wie heute. Damals hatte sie sich auch nicht von der Urnenkiste trennen können. Sie hatte die Kiste beim Essen neben sich auf den Tisch gestellt, auch wenn sie kaum einen Bissen herunterbekommen hatte. Sie hatte sie sogar mit ins Bett genommen.

»Taro-chan«, rief Akiko ihn und streckte die Hand nach der Stelle aus, wo er immer gesessen hatte, doch sie griff ins Leere. Ein brennender Schmerz überwältigte sie, und Tränen schossen ihr in die Augen.

Sie musste daran denken, wie sehr Taro gelitten hatte, wie oft sie mit ihm geschimpft hatte, sicherlich war das ein Grund gewesen, warum er so früh gestorben war.

Es wurde Nacht, doch Akiko weinte und weinte und fand keinen Schlaf.

Am nächsten Morgen wachte sie auf und fühlte sich wie benommen. Huch, warum kommt er denn nicht?, wunderte sie sich kurz, dann fiel ihr ein, was vorgefallen war, und sie musste wieder weinen. Der Kater hatte in der Wohnung nicht viel Platz eingenommen, doch das leere Zimmer erschien ihr nun unheimlich groß und kalt. Das ewige Weinen bringt doch nichts, ermahnte sich Akiko, klopfte sich das tränenverquollene Gesicht ab und atmete einmal tief durch.

»Taro-chan, wenn ich wieder anfange zu weinen, musst du mit mir schimpfen«, sagte sie und begann schon wieder zu weinen.

»Oh, das geht doch so nicht.«

Akiko stellte die Kiste mit Taros Urne wieder auf das Schränkchen, wechselte das Wasser in dem Sakeschälchen und zündete ein Räucherstäbchen an.

Als Shima-chan in das Café kam und Akikos Gesicht sah, fragte sie sofort: »Akiko, was ist passiert?«

»Oh, sieht man es mir an?«

»Natürlich. Deine Augen sind ganz geschwollen.«

»Weißt du ...«

Als Akiko ihr von Taros Tod erzählte, weiteten sich Shima-chans Augen erschrocken, und bevor Akiko sich's versah, begann ihre Kollegin zu weinen. »Ach du Ärmste«, sagte Shima-chan immer wieder, während sie mit dem Handrücken die Tränen aus den Augen wischte.

»Unser Hund Kumatarō ist nach einem Spaziergang

einfach zu Hause zusammengebrochen und gestorben. Er war schon neun Jahre alt, aber trotzdem war es ein Schock.«

»So ganz ohne Vorwarnung, das ist schrecklich«, sagte Akiko.

»Ja, meine ganze Familie musste daran denken, wie sie ihn geschimpft hat, und dann haben alle geheult und es bereut.«

Gemeinsam weinten Shima-chan und Akiko noch ein wenig.

»Aber weißt du was, das sollte unsere Arbeit nicht beeinflussen. Lass uns heute unsere Kunden wie immer mit einem Lächeln auf dem Gesicht begrüßen.« Mit diesen Worten richtete Akiko sich auf.

»Du hast recht. Geben wir unser Bestes.« Shima-chan wischte sich die Tränen ab und nickte.

Akiko überließ sich meditativ der Arbeit, die vor ihr lag. Sie schnitt sich weder aufgewühlt in die Hand noch versalzte sie die Suppe. Im Gegenteil, Akiko hatte den Eindruck, dass sie heute konzentrierter arbeitete als sonst.

Eine elegant gekleidete ältere Dame, die inzwischen einmal pro Woche in Akikos Café zu Mittag aß, kam nach dem Essen auf sie zu:

»Das war wieder ganz ausgezeichnet. Man merkt, dass sie mit Leib und Seele kochen, es war wie immer köstlich«, sagte sie zu Akiko und ging. Akiko, die ein tapferes Gesicht aufsetzte, doch innerlich immer noch ihren großen Verlust betrauerte, war sehr dankbar für diese tröstlichen Worte.

Abends schloss sie wie immer das Café ab und kaufte in ihrem Stammblumenladen auf der Einkaufsstraße eine gelbe und eine violette Chrysantheme für ihre Mutter und eine weiße für Taro. Eine zierliche weiße Chrysantheme schien nicht recht zu ihrer Mutter zu passen. Die kontrastreiche Kombination von Gelb und Violett entsprach ihr viel mehr.

»Hast du mitbekommen, dass der ehemalige Sushiladen renoviert wird?«, fragte die Verkäuferin Akiko beim Bezahlen.

»Das habe ich auch gesehen«, sagte Akiko.

»Das Gebäude ist ja ziemlich alt, daher mussten sie bestimmt den ganzen Laden übernehmen. Offenbar soll da ein kleines Restaurant eröffnen.«

Ein Ehepaar mittleren Alters hatte offenbar das Gebäude samt Grundstück erworben. Im Erdgeschoss wird der Laden sein, im ersten Stock die Wohnung, erzählte ihr die Floristin. Akiko bekam oft solche Neuigkeiten in der Einkaufsstraße nicht mit. Sicherlich war es für einige Ladenbesitzer wichtig, auf dem neuesten Stand zu sein, doch war es nicht gut, wenn dabei Privatangelegenheiten verbreitet wurden. Sie bestellte noch ein Gesteck für das Café und ging zurück nach Hause.

»Taro-cha–«, sagte sie beim Eintreten, dann brach sie ab und atmete tief ein und aus. Obwohl die Urne vor ihr stand und sie Taros Gebeine mit eigenen Augen gesehen hatte, war ihr, als würde ihr Kater immer noch leben.

»Aber du bist nicht hier, nicht wahr?«

Seine kugelrunde, eingerollte Gestalt war nirgendwo zu sehen. Es gab den Taro auf dem Foto und den Taro in der Urne, doch sie waren beide in einem viereckigen Gegenstand eingesperrt. Den mollig warmen, weichen Taro mit seinem brummenden Schnurren und dem drolligen Kopfwippen gab es nicht mehr.

»Taro-chan …«

Eine Welle der Traurigkeit erfasste sie, sie drückte sich ein Handtuch gegen die Augen und begann fürchterlich zu weinen. Selbst der Tod ihrer Mutter hatte sie nicht so mitgenommen. Sie erinnerte sich, einen Satz gelesen zu haben, in dem Eltern beschrieben, der Verlust eines Kindes fühle sich an, als »würden sie auseinandergerissen werden« – genauso fühlte es sich an. Es war, als wäre ein Teil ihres Körpers aus ihr herausgerissen worden. Die Traurigkeit überrollte sie plötzlich wie eine Flutwelle, die sich gnadenlos durch die Risse im Alltagsleben drängte. Dann konnte man nicht aufhören zu weinen. Anschließend verstaut man die Traurigkeit wieder in sich und lebt sein Leben weiter. Bedauerlicherweise kann man sich noch so oft vornehmen, sich zusammenzureißen und die Traurigkeit aufzuhalten: Sobald die Flutwelle heranrollt, ist es zu spät. Dann hilft nur noch, sich den Tränen zu überlassen.

Also aß Akiko weinend, sie wusch weinend die Wäsche, sie ließ sich weinend ein Bad ein, stieg in die Wanne und weinte, und vor dem Schlafengehen weinte sie ebenfalls noch einmal.

Für einige Zeit wurden die Tränen Akikos steter Begleiter. Dann, irgendwann, ließen die Trauer-Flutwellen nach, und langsam kehrte wieder Ruhe in ihr Inneres ein. Vielleicht war es Einbildung oder Wunschdenken, doch sie meinte immer wieder, Taros Anwesenheit wenn nicht zu sehen, dann zumindest zu spüren. Wenn sie am Tisch saß und aß, war ihr, als würde etwas Weiches um ihre Beine streichen. Verdutzt sah sie unter den Tisch, sie fand jedoch nichts, dabei hatte es sich angefühlt wie früher, wenn

Taro sich an ihr gerieben hatte. Einmal dachte sie, in der Ecke des Wohnzimmers etwas gesehen zu haben.

»Taro-chan, bist du da?«, fragte sie in das leere Zimmer hinein und erhielt natürlich keine Antwort. Doch Akiko war überzeugt, dass Taro sie aus dem Jenseits besucht hatte. »Mach es dir ruhig gemütlich«, sagte sie zu ihm.

Wenn sie auf ihrem Stuhl saß, schien er auf dem Tisch zu liegen. Wenn sie im Bett ein Buch las, meinte sie, ihn neben sich zu spüren. Es war wie damals, als er noch lebte. Ab und zu hörte sie auch ein Maunzen.

»Ich kann dich zwar nicht sehen, aber ich weiß, dass du da bist.«

Das war Akikos größter Trost. Es tat ihr leid, denn sie hatte zwar auch unter dem Tod ihrer Mutter gelitten, doch Akiko hatte sich nie gewünscht, dass sie bei ihr sein möge. Sie hatte auch nie das Gefühl gehabt, ihre Mutter hätte sie aus dem Jenseits besucht, geschweige denn ihre Stimme gehört. Für Akiko war Taro offensichtlich wichtiger als ihre Mutter.

»Tut mir leid, Mama.« Kurz betete Akiko zu dem Foto ihrer Mutter auf der Kommode. Vielleicht bildete Akiko es sich ein, doch ihre Mutter schien sie einen Moment lang vorwurfsvoll anzusehen.

10

Akiko versuchte, die Traurigkeit über Taros Tod zu vergessen, doch ihr Körper ließ es nicht so einfach zu. Im Café arbeitete sie emsig wie eh und je, doch sobald sie zu Hause war, erdrückte sie ein Gefühl von Leere, selbst ihre nicht besonders große Wohnung fühlte sich mit einem Mal riesig, kalt und trostlos an.

Obwohl Akiko vollkommen klar war, dass Taro unmöglich hier sein konnte, rief sie immer wieder leise in Richtung Schlafzimmer: »Taro-chan.«

Vielleicht hatte er sich ja doch einfach nur irgendwo versteckt, sagte die Hoffnung, doch sie erhielt keine Antwort.

»Taro-chan …«

Akiko blieb regungslos vor dem Schlafzimmer stehen, und zu ihrer Überraschung stiegen ihr die Tränen in die Augen, und sie weinte eine kleine Weile. Danach fühlte sie sich ruhiger, sie wusch sich die Hände, schminkte sich ab und reinigte sich das Gesicht. Dann setzte sie sich auf ihr Bett und strich eine Weile über die Stelle, auf der Taro immer gelegen hatte. *Hier hat er immer geschlafen …*

Wenn sie sich an seine friedlich schlafende Gestalt und sein leises Schnarchen erinnerte, musste sie wieder weinen.

Akiko trug die Holzkiste mit der Urne ins Schlafzimmer herüber, stellte sie aufs Bett und holte Fotos von Taro hervor. Sanft streichelte sie den Taro im Foto und die Urnenkiste. Natürlich spürte sie sein weiches Fell oder seine

Wärme nicht, doch sie konnte einfach nicht anders. Akiko weinte so sehr, dass ihr die Nase zu laufen begann. Sie nahm sich ein Handtuch, rieb sich das Gesicht ab und rief sich den echten Taro, warm, weich, kugelrund, in Erinnerung.

Als Nächstes holten sie ihre Schuldgefühle wieder ein. Sie hatte im Café stets sorgfältig darauf geachtet, dass nicht auch das kleinste Haar darauf hinwies, dass hier eine Katze lebte. Hatte Taro das verstanden und sich deswegen von allein zurückgezogen? Warum hatte sie nicht viel mehr Zeit mit ihm verbracht, mit ihm gespielt und geschmust? Sie machte sich Vorwürfe, ihre unnötigen Schimpftiraden wären der Grund, warum sein Leben so früh geendet hatte. Rund eine halbe Stunde lang versank Akiko in einer Gemengelage von Trauer und Selbstvorwürfen, bis sie sich langsam beruhigte. Sie ging in die Küche, um ein Abendessen zu kochen. Heute war der Kidneybohnen-Salat übrig geblieben, die Hälfte davon hatte sie Shima-chan mitgegeben. Sie hatte den Salat nur mit ein wenig Salz gewürzt, so passte er sowohl zu japanischer als auch zu westlicher Küche. Im Kühlschrank waren noch Gemüse, Pilze sowie ein Lachsfilet, das würde sie dämpfen, dachte sie und holte das Bambusdämpfkörbchen hervor. Beim Kochen musste sie daran denken, wie sich Taros Pupillen jedes Mal aufgeregt geweitet hatten, wenn sie Fisch aus dem Kühlschrank geholt hatte, und ihre Sicht verschwamm vor Tränen.

Erschöpft setzte sie sich auf einen Stuhl, solange das Essen dämpfte.

»Ich habe keine Familie mehr«, flüsterte sie in den leeren Raum hinein. Würde er noch leben, wäre Taro nun umgehend auf ihren Schoß gesprungen und hätte aufgrund der Streicheleinheiten und des köstlichen Dufts aus der Küche genüsslich geschnurrt. Er hatte dann immer abwechselnd vom Herd zu Akiko geschaut und dabei gemiaut, als wollte er sagen: »Ich möchte auch etwas abhaben.«

Akiko hätte ihn in so einem Moment am Kinn gekrault und gesagt: »Natürlich bekommst du etwas, mein Braver.«

Bei diesen Streicheleinheiten hatte Taro stets genüsslich die Augen geschlossen und sich verwöhnen lassen. Doch diese kleinen glücklichen Momente waren unwiederbringlich verloren. Akiko legte die Hände in den Schoß und starrte gedankenverloren vor sich hin.

Wenn das Essen fertig war, hatte Taro immer versucht, sich auf die Teller zu stürzen: »Ich möchte auch, ich möchte auch, ich möchte auch«, was Akiko jedes Mal unterband: »Einen Moment, du bekommst gleich etwas.«

Während Akiko ihm etwas in seinen Napf füllte, stellte er sich wartend auf beide Hinterpfoten, verlor jedoch schnell das Gleichgewicht und fiel zurück auf alle vier Pfoten. Sobald der Napf den Fußboden berührte, war er da und steckte den Kopf in den bereitgestellten Napf und verschlang sein Essen, wie ein Bulldozer Erde umgrub. Bewegte sich die Schale durch seine Fressattacke, bewegte er sich mit, ohne das Fressen zu unterbrechen, und wanderte so samt Napf durch die Küche. Akiko brach bei diesem Anblick jedes Mal in Lachen aus: »Was machst du nur?«

Er schleckte den Fressnapf jedes Mal blitzeblank aus, Akiko hätte ihn gar nicht mehr spülen müssen.

Doch das war vorbei.

Sie stellte ein Schälchen Wasser, etwas Trockenfutter und eine Portion Lachs vor sein Foto, doch natürlich schleckte das niemand aus. Wenn Akiko die vollen Schälchen austauschte, fühlte sie jedes Mal ein Stechen in der Brust. Trotzdem spürte sie Taros Anwesenheit.

Nachdem sie das einfache, trockene Abendessen gegessen und den Abwasch gemacht hatte, meinte sie kurz, etwas hätte ihre Beine gestreift. Es fühlte sich genauso an, wie wenn Taro sich gegen ihr Bein gerieben hatte. Akiko erschrak, sah erst zu Boden und dann in der Wohnung herum.

»Du bist da, Taro-chan, nicht wahr, du hast Hallo gesagt. Ich freue mich, wenn du einmal maunzt.«

Es blieb still.

Taros Anwesenheit fühlte sich jedes Mal an, als würde sie aus dem Nichts kommen. Auch wenn Akiko gedankenverloren vor dem Fernseher saß, meinte sie, etwas neben sich zu sehen.

»Na, Taro-chan, bist du gekommen«, sagte sie dann und machte eine streichelnde Bewegung. Ihre Hand wurde dabei merkwürdig warm. Bei dem Gedanken, dass Taro bei ihr war, wurde ihr ein wenig leichter ums Herz. Sie drehte sich in die Richtung, in der sie Taro vermutete, auch wenn sie ihn nicht sehen oder hören konnte, und redete mit ihm, wie früher, als er noch lebte. Auch wenn sie nach unten ins Café ging, verabschiedete sie sich von ihm mit einem »Ich gehe jetzt, bis später«, als würde er immer noch auf dem Bett liegen.

Eine Freundin rief sie an, sie schien am Klang von Akikos Stimme zu merken, dass etwas nicht stimmte, und fragte, was denn vorgefallen sei.

»Oh wie schrecklich«, sagte die Freundin. »Ich habe gehört, dass man die Trauer über ein totes Haustier nur durch ein neues Haustier überwinden kann. Hast du schon darüber nachgedacht?«

Das mochte stimmen, doch Akiko hatte entschieden, dass sie sich kein weiteres Haustier anschaffen würde, solange sie das Café führte.

Jeden Tag, wenn sie das Café öffneten, warteten die Gäste bereits vor der Tür. Sie hatte inzwischen sogar Stammgäste. Eine ältere Frau erzählte ihr:

»Ich muss jede Woche ins Krankenhaus in der Nähe, doch danach komme ich immer vorbei und freue mich schon auf Ihre Suppe und das Brot. Inzwischen gehe ich sogar gerne zu meinem Arzttermin.«

Es kamen auch weiterhin neue Gäste, die von Akikos Café gehört hatten und einmal bei ihr essen wollten. Darüber hinaus war Akiko nun viel gelassener als noch damals zur Eröffnung. Im Rückblick war sie vor Aufregung ganz schön angespannt gewesen. Vielleicht hatte sie sich zu sehr von der Aufregung ihrer Gäste anstecken lassen. Damals war es ihr nicht so vorgekommen, doch Akiko erkannte nun, dass sie sich am Anfang etwas zu sehr verausgabt hatte. Es war nichts Besonderes passiert, doch es widersprach Akikos Idealvorstellung, dass man in ihrem Café in ruhiger und friedlicher Atmosphäre essen können sollte. Dieses Ziel hatte sie fast erreicht, doch nun kamen ihr Zweifel, ob das wirklich so eine gute Idee gewesen war. Abgesehen davon, dass Akiko Menschen, die nicht in ihr Ideal passten, ausgeschlossen hatte, bereitete ihr der Umstand Sorgen, dass die meisten ihrer Gäste völlig gleich aussahen. War das nicht ein Zeichen, dass sie als Ladeninhaberin zu überheblich geworden war?

Natürlich gab es auch im Gastronomiegewerbe gewisse Hierarchien und Ränge, doch für Akiko gehörte ihr Café nicht dazu.

»Ich möchte einen Ort mit schlichtem Interieur und qualitativ hochwertigen Zutaten schaffen, wie ein Kloster, in dem köstliche Suppen mit Brot serviert werden.« – Das war ihr Ausgangspunkt gewesen. Als dann jedoch alle möglichen Leute in Akikos Café gekommen waren, hatte sie da nicht unbewusst angefangen, ihre Gäste in verschiedene Gruppen zu unterteilen? Diese hier möchte ich hierhaben, doch die anderen sollen wegbleiben. Diese Ausgrenzung entsprach ihrer Meinung als Privatperson, doch durfte sie als Gastronomin so denken? War es nicht ihre Verpflichtung, jedem Gast, der bei ihr speisen wollte, ein köstliches Essen zuzubereiten? Akiko schämte sich, als sie erkannte, wie sehr sie versucht hatte, alles an ihre Idealvorstellung anzupassen. Wenn sie ehrlich war, mochte sie den Moment am liebsten, kurz bevor sie das Café öffnete, wenn das Essen vorbereitet und alles geputzt war. Dann sah es aus wie im Inneren eines buddhistischen Klosters, alles war ruhig, nur die Blumen blühten. Dieser Anblick erfüllte sie immer mit Vorfreude auf den Arbeitstag vor ihr. Eigentlich sollte sie sich darüber freuen, dass Menschen gerne in ihr Café kamen. Mit ihrer Einstellung konnte sie genauso gut in einem schönen Raum ihrer Wahl sitzen, sie musste kein Café betreiben.

»Was habe ich mir nur dabei gedacht, von meinen Gästen ein bestimmtes Verhalten zu erwarten?«

Diese Vorstellung kam ihr nun sehr überheblich vor.

Akiko würde es trotzdem bevorzugen, wenn Gäste in ihrem Café sich nicht lautstark unterhielten oder herumschrien. Sicher war auch das für einen Gastronomiebetreiber keine angemessene Einstellung. Sie sollte ihre Türen öffnen und jeden Gast freundlich und dankbar begrüßen.

Ich habe noch einiges zu lernen. Akiko seufzte über ihre Unwissenheit.

Shima-chan, die beim Blumenladen ein bestelltes Gesteck abholte, hörte von der Floristin, dass das kleine japanische Restaurant nun aufgemacht hatte.

Das ging ja schnell, neulich waren doch noch die Rollläden unten gewesen, dachte Akiko, da stand das Ehepaar schon kurz vor der Öffnungszeit vor Akikos Café, um sich in der Nachbarschaft vorzustellen.

Die neuen Inhaber waren um die vierzig Jahre alt und sehr geschwätzig.

»Oh, was für ein schöner Laden. Entschuldigen Sie, wenn ich das sage, aber Ihr Café ist ja fast zu schade für diese kleine Einkaufsstraße. Sie gehörten doch in die Szenebezirke Aoyama oder Roppongi«, sagte die Frau und sah sich neugierig um. Sie war schlank, gebräunt, trug einen Pferdeschwanz und knallblauen Lidschatten.

»Führen Sie das Café allein?«, fragte nun der Ehemann. Akiko stellte den beiden Shima-chan vor und sagte, dass sie das Café zu zweit führten.

»Und wie läuft das Geschäft, wie hoch ist der Gewinn? Was sind denn die Ausgaben bei einem Laden wie Ihrem?«

Akiko war etwas irritiert, gleich beim ersten Kennenlernen so ausgefragt zu werden. Sie wich ihnen aus, indem sie sagte, sie sei in der glücklichen Position, dass ihre Mutter ihr die Immobilie hinterlassen habe, daher zahle sie keine Miete.

»Na, da hatten Sie also einen Startvorteil«, kommentierte der Mann. Dann fragten sie Akiko nach ihren Preisen und den Gerichten aus, doch nicht nur das. Sie waren mit allen Wassern gewaschen. Sie liefen dreist und ohne zu fragen in Akikos Laden herum, klopften auf die Tischoberfläche, warfen einen Blick in die Küche und kommentierten: »Verstehe, so haben Sie das also gemacht.«

Akiko und Shima-chan standen wie angewurzelt da. Als das Ehepaar endlich zufrieden zu sein schien, sagte die Frau mit schriller Stimme: »Entschuldigen Sie die Störung. Kommen Sie doch gerne auch einmal bei uns vorbei. Auf eine gute Nachbarschaft!« Dann gingen sie endlich. Akiko und Shima begleiteten sie zur Tür und verbeugten sich zum Abschied, danach trafen sich ihre Blicke, und sie seufzten synchron.

»Die haben doch einen Sprung in der Schüssel«, sagte Shima-chan leise.

»Ich fürchte, nicht. So ein Verhalten ist heutzutage offenbar normal«, antwortete Akiko.

Tatsächlich zogen auch solche Leute wie dieses Ehepaar eine eigene Kundschaft an.

Trotz der angespannten Lage der Gastronomiebranche ließen sich die Bäckermeister einiges einfallen, und Akiko erhielt Kostproben von Broten mit Trockenfrüchten und Nüssen und sogar eines mit eingebackenem Käse, die sie in ihr Sortiment aufnahm.

An einem freien Tag machte Akiko einen Spaziergang zum Antiquar im Nachbarviertel. Der Buchladen besaß eine große Auswahl an Kochbüchern, und Akiko hatte dort schon den siebenbändigen »Der Kaiseki-Begleiter« von Tsuji Ka'ichi gefunden, einem berühmten Gourmetkoch zu Beginn des zwanzigsten Jahrhunderts. Akiko hatte nicht vor, hohe Küche wie das traditionelle Kaiseki zu servieren, doch sie hatte eines der Bücher aus der Reihe erworben: »Über Reis und Misosuppe«. Das Buch hatte sie während ihrer Ausbildung zur Köchin in der Bibliothek des Institutes entdeckt und beschlossen, es sich eines Tages anzuschaffen.

Der Anhang des Buches enthielt nicht nur einen Misosuppen-Almanach, sondern auch Rezepte, wie man aus Konbu-Seetang und getrocknetem Katsuo-Thunfisch klassisch hochwertiges Dashi zubereitete und aus Gemüse ein besonders gutes Umami für Suppen extrahierte. Die japanische Küche besaß viele Regeln, daher verehrte Akiko den Autoren Tsuji für seine Einstellung, auf der Suche nach Qualität Konventionen zu brechen und nach eigenem Belieben Gerichte zu kreieren. Diese Kochschule war wirklich zeitlos.

Dieses Mal entdeckte Akiko im Antiquariat keine Neuheiten, stattdessen kaufte sie, eher ungeplant, ein Katzenlexikon mit Kurz- und Langhaarkatzen und allen möglichen anderen Rassen. Einen Mischling wie Taro fand sie zuerst nicht, doch dann schlug sie eine Extraseite mit einer Sammlung pummeliger Katzen auf.

»Sie sehen aus wie er.« Ihr stiegen die Tränen in die Augen. Der Anblick von Katzen, ob auf der Straße oder auf

Fotos, tröstete Akiko. Wenn sie sich das Katzenlexikon zu Hause in Ruhe ansah, würde sie das sicher etwas ablenken. Als sie aus dem Buchladen auf die Einkaufsstraße trat, war das kleine Lokal des Ehepaares geöffnet. Aus dem Inneren war Gelächter zu hören, offenbar waren sie bereits um 18 Uhr gut besucht. Vielleicht waren es Stammgäste aus dem vorherigen Laden, schließlich war es am Anfang immer schwierig, Gäste anzuziehen. Als Akiko den Sushiladen passierte, kamen ihr zwei alte Stammgäste ihrer Mutter aus der Richtung des Bahnhofs entgegen.

»Das ist ja eine Überraschung«, sagte Akiko lächelnd und grüßte sie freundlich. Die beiden Männer versteiften sich, als sie sie sahen, dann drehten sie den Kopf weg und liefen schnurstracks an ihr vorbei. Akiko schaute ihnen überrumpelt nach, wie sie auf das Lokal des Ehepaares zugingen, den Ladenvorhang beiseiteschoben und die Tür öffneten. Akiko hörte ein fröhliches »Mahlzeit«, und dann verschwanden die beiden Männer in dem Lokal. Akiko blinzelte verdutzt und blieb einen Moment angewurzelt stehen.

»Taro-chan, ich bin zu Hause«, sagte sie, als sie ihre Wohnung betrat, und setzte sich an den Küchentisch. Sie konnte verstehen, dass die Stammgäste ihrer Mutter ihr zweites Zuhause verloren hatten, umso besser war es, wenn das neue Lokal ein Ersatz dafür sein konnte. Offensichtlich hatten sie solch einen ungezwungenen Ort der Zusammenkunft vermisst. Doch war es nötig, sie dafür so unverfroren zu schneiden? Nahmen die Männer es ihr immer noch übel, dass sie ihnen ihre Stammkneipe gestohlen hatten? Oder war es ihnen unangenehm gewesen, weil Akiko gesehen hatte, wie sie in das neue Lokal gingen?

»Aber grüßen kann man doch«, sagte Akiko zu sich. Warum müssen sie mich so behandeln, das verstehe ich nicht. Sie hatten sich verhalten wie Grundschüler, die bei einer Missetat ertappt worden waren.

»Was es nicht alles für Leute gibt«, murmelte Akiko vor sich hin, atmete einmal tief durch, massierte sich kurz den Kopf und ging ins Bad.

So verging die Zeit. Nach wie vor wurde sie noch aus heiterem Himmel von der Trauer über Taros Tod eingeholt, ansonsten arbeitete sie eifrig mit Shima-chan zusammen im Café, sie waren inzwischen ein Herz und eine Seele.

Dann kam eines Tages die Leiterin der Kochschule mit einem Kuchen überraschend in Akikos Laden vorbei.

»Ihr Geschäft läuft ja wirklich fabelhaft«, sagte sie. Das Café war bis auf den letzten Platz besetzt.

»Heute ist wirklich besonders viel los. Sonst ist es nicht ganz so voll ...«

»Wunderbar, dass Sie sich so gut etablieren konnten, Akiko.«

Es war nicht viel Zeit zum Reden, also bat Akiko Shima-chan, die Lehrerin an einen Platz zu geleiten, und ging an den Herd zurück. Sie waren so gut besucht, dass sie, sobald eine Gruppe aufbrach, umgehend eine neue Gruppe, die draußen vor dem Café wartete, hereinlassen konnten. So ging das bis zum Feierabend.

Akikos alte Lehrerin aß ihre Mahlzeit achtsam und vornehm, ihr nur dabei zuzusehen, versetzte Akiko in Verzückung. Die Kochmeisterin saß kerzengerade aufrecht, jede ihrer Bewegungen war grazil und fließend. Akiko wurde wie immer daran erinnert, wie gerne sie eine ebenso schöne Erscheinung abgeben würde, doch sicherlich wirkte sie auf andere ungeschickt und unansehnlich. Selbst die Art, wie ihre Lehrerin die leeren Schalen und Teller zusammenstellte, war bezaubernd.

»Vielen Dank für die wunderbare Mahlzeit, Akiko, es hat vorzüglich geschmeckt. Sie machen keine Abstriche bei der Suppe, das merkt man. Auch das Brot war köstlich. Und Ihre Küchenhilfe ist wirklich ein Engel. Wie schön, dass Sie solch eine tatkräftige Unterstützung gefunden haben.«

Die Kochmeisterin berührte sachte Shima-chans linken Arm.

»Oh, herzlichen Dank.« Das unerwartete Kompliment ließ Shima-chan erröten, sie verbeugte sich steif wie ein Stock.

»Es ist wunderbar, wie offen Sie gegenüber den Gästen sind. Ihre Dankbarkeit gegenüber den Gästen ist zu spüren. Da ich in vielen Restaurants verkehre, erkenne ich sofort, ob ein Lächeln nur aufgesetzt ist. Ihnen habe ich Ihre gute Seele sofort angemerkt.«

Shima-chan schien vor Freude und Verlegenheit über so viel Lob zusammenzuschrumpfen.

»Ich wüsste wirklich nicht, was ich ohne Shima-chan machen würde«, sagte Akiko. »Allein würde ich das Café unmöglich führen können. Mit Shima war mir das Schicksal wirklich gewogen.«

»Und dafür muss man dankbar sein. Bitte geben Sie gut aufeinander acht.«

Selbst beim Abschied bot Akikos Lehrerin ein Abbild von Anmut und Grazie.

»Was für eine wunderbare Person. Aber das sage ich nicht nur, weil sie mich gelobt hat, also, ich …«

»Ich verstehe schon«, sagte Akiko, »sie ist wirklich wunderbar. Ich wäre so gerne wie sie.«

Als Akiko und Shima-chan den Laden am Abend schlossen, waren sie so müde wie schon lange nicht mehr. Sie setzten sich zusammen und aßen den Kuchen, den Akikos Lehrerin mitgebracht hatte. Er stammte von einer berühmten Patisserie, und der Bäckermeister war ebenfalls ein Schüler der Kochmeisterin gewesen. Für gewöhnlich aß Akiko keine Süßspeisen, doch heute schmeckte es ihr besonders gut, und sie fühlte sich ein wenig leichter ums Herz.

»So einen leckeren Kuchen habe ich ja noch nie gegessen!«, sagte Shima-chan entzückt, daher gab Akiko ihr gerne die letzten zwei Stücke mit nach Hause.

Akikos Vorbild im Alter war nicht ihre Mutter, sondern ihre Lehrerin. Sie waren zwar nicht verwandt, doch ihre Mutter war für Akiko viel mehr ein Negativbeispiel. Jetzt, da sie ganz allein auf der Welt war, war die Lehrerin eine idealisierte Mutter. Ihre Mutter hatte so gerne geredet, dass sie selbst mit Essen im Mund einfach weitergeschwatzt hatte, als wäre es ihr zu umständlich gewesen, zuerst zu kauen und zu schlucken, bevor sie weiterreden konnte. Ständig waren ihr Essensreste aus dem Mund geflogen. Es hatte sie auch nicht gekümmert, wenn sie beim Teetrinken laut schlürfte, sie hatte stattdessen unanständige Witze mit ihren Gästen gerissen.

Höchstwahrscheinlich, aber nicht bewiesen, hatte Akiko zwei Brüder und eine Schwägerin, doch es war ausgeschlossen, sie zu kontaktieren, nur weil sie einsam oder traurig war. Ihr Bruder und seine Frau würden Akiko, so wie sie sie einschätzte, vielleicht sogar freundlich und wohlgesinnt aufnehmen, wenn sie ihnen die Wahrheit sagte. Sie hatte bisher angenommen, dass sie allein zurechtkäme, doch seit Taros Tod war sie sich nicht mehr so sicher.

»Der Tod eines Haustieres kommt dem Verlust des eigenen Kindes gleich«, hieß es, und es war auch nicht einfach, ihre Gefühle zu bändigen, doch die Einsamkeit war unbeschreiblich.

Doch das gab ihr nicht das Recht, das friedliche Leben ihres ahnungslosen Bruders und seiner Familie durcheinanderzubringen. Sie täte es nur aus unreifem Egoismus, sie drückte sich ermutigend ihre rechte Hand auf ihre Brust. »Ich muss das allein schaffen«, sagte sie sich.

Die Primeln, die sie auf dem Weg zum Tempel ihres Bruders von der alten Geisha bekommen hatte, blühten immer noch munter. Akiko musste an die prächtigen weißen Blüten des Engelstrompetenbaumes denken, die sie im Tempelgelände gesehen hatte. Seit Taro gestorben war, rief sie sich nun übermäßig oft die Freundlichkeit anderer ins Gedächtnis: Sie erinnerte sich sogar an Dinge, die dreißig Jahre zurücklagen, wie beispielsweise einmal, in den ersten Jahren beim Verlag, als Akiko immer bis spät in die Nacht bis zur Erschöpfung gearbeitet hatte, eine einschüchternde, ältere Kollegin eine halbe Tafel Schokolade mit ihr geteilt hatte. Dann verspürte sie plötzlich das Bedürfnis nach einem freundlichen Gesicht, wie schön das gewesen war, dachte sie erst dankbar, und versank dann in einem fürchterlichen Gefühl, sodass sie den Kopf auf den Küchentisch legen musste.

»Taro-chan …«

Sie holte die Kiste mit seiner Urne und stellte sie auf den Tisch. »Taro-chan, es tut mir so leid. Nur weil ich nicht richtig aufgepasst habe, musstest du sterben.«

Sie streichelte die Urne in einem fort und weinte dabei.

Jetzt weinst du schon wieder. Wie erbärmlich. Was soll Taro nur von dir denken?, dachte sie sich entnervt. Sie war außerstande, darauf zu reagieren, und als sie weiterhin weinte, sagte eine andere Stimme zu ihr: *Du musst das nicht ertragen, weine ruhig, so viel du willst. Du musst alle Trauer herausweinen, sonst bleibt sie in dir stecken und macht alles nur schlimmer.*

Bei diesem Gedanken nickte Akiko unter Tränen und ließ ihrer Traurigkeit freien Lauf, auch wenn der Taro in der Urne sich sicherlich große Sorgen um sie machte. Akiko bekam Mitleid mit der Urne, die sie jedes Mal nach der Arbeit weinend wahlweise auf das Bett, auf den Tisch oder auf ihre Knie stellte. Sicherlich hatte sich ihr Kater, wo auch immer er war, erst einmal ein wenig ausruhen wollen, doch nun wurde er samt Foto von seiner früheren Besitzerin wimmernd durch die Gegend getragen – wie sollte er da Ruhe finden?

»Es tut mir leid, Taro-chan, ich werde damit aufhören«, entschuldigte sich Akiko bei ihm und stellte die Urne und das Foto auf das Schränkchen zurück.

Ab und an stieg noch eine drückende Trauerwelle aus ihrem Inneren in ihr hoch, doch sie beruhigte sich nun schneller. Als sie nach drei Monaten schon meinte, dass das Schlimmste überstanden sei, überkam sie dann urplötzlich eine erneute Trauerwelle. Dabei hatte sie schon gedacht, dass sie nun stabil sei, doch die Sehnsucht nach ihrem Kater schoss wie Lava aus ihr heraus.

»Taro-chan, ich vermisse dich so!« Sie weinte wie ein Kind. In der Zeit kurz nach seinem Tod hatte es sie getröstet, allein seine Präsenz zu spüren, doch nun hatte sie das unbändige Verlangen, ihren pummeligen Kater auf den Arm zu nehmen und zu herzen. Ihr war bewusst, dass es nicht gut war, ihre gesamte freie Zeit außerhalb der Arbeit in ihrer Wohnung zu verbringen, daher ging sie so oft wie möglich an die frische Luft. Sie fühlte sich besser, wenn sie einen kleinen Spaziergang durch die Nachbarschaft machte, selbst wenn es schon dämmerte. Sie redete mit jeder Katze, die sie unterwegs traf, und streichelte alle, die sich streicheln ließen. Sie waren alle niedlich, doch keine war wie Taro.

Jetzt bin ich es, die aussieht wie ein Dummerchen, dachte sie sich. Doch anstatt dass sie der Gedanke tröstete, schien er einen Schalter in ihr umzulegen. »Taro-chan, ich vermisse dich so schrecklich!«, sagte sie und brach in Tränen aus.

Es war eine Lüge, dass die Zeit alle Wunden heilt – manche Traurigkeit wurde mit der Zeit nur stärker. Akiko verspürte dennoch kein Bedürfnis, eine neue Katze zu adoptieren, die sie über ihren Verlust hinwegtrösten könnte. Sie hatte sich geschworen, dass sie unter keinen Umständen zum Tempel ihres Bruders fahren würde. Doch als sie ihre Verzweiflung nicht mehr länger ertrug, machte sie sich an einem freien Tag auf den Weg dorthin. Sie vermied es, am Haus mit den Blumentöpfen vorbeizugehen, und nahm stattdessen eine andere Route. Wird es sie stören, dass ich nochmals komme, obwohl ich in dem Tempel gar kein Familiengrab habe? Die Frau des Abtes, höchstwahrscheinlich ihre Schwägerin, hatte Akiko zwar gesagt, sie sei jederzeit willkommen, doch war das überhaupt ernst gemeint gewesen? Trotz ihrer Sorgen trugen sie ihre Füße zielsicher bis zum Tempel.

Sie linste über die Hecke. Zehn Personen in schwarzer Kleidung standen im Innenhof. Die Ehefrau des Abtes bat die Gruppe freundlich in das Innere des Tempels hinein. Sie trug einen Samue und verhielt sich weder zu schwermütig noch zu heiter. Offenbar fand gerade eine buddhistische Totenmesse statt. Akiko war ein wenig enttäuscht und überlegte, ob sie wieder nach Hause gehen sollte. Sie entschied sich dagegen, trat entschlossen durch das Tor und wandte sich dem Garten zu.

Jetzt bin ich zwar hier, aber was will ich hier eigentlich? Das ist doch sinnlos. Nur wegen einer Katze herzukommen, ist doch wirklich ein wenig schrullig, auch wenn Taro für mich sehr wichtig war. Was will ich nur von ihnen? Ich störe sie doch nur.

Akiko fühlte sich völlig verloren, doch sie wollte keine Fremden mit hineinziehen. Vielleicht bilde ich mir ja bloß ein, dass die beiden keine Fremden sind. Plötzlich genierte sich Akiko fürchterlich. Sie war kurz davor zu gehen, als hinter ihr eine Stimme ertönte: »Entschuldigen Sie.«

Akiko drehte sich um. Es war die Frau ihres Bruders.

»Oh, gu-guten Tag.« Akiko verbeugte sich hastig. Bestimmt hatte die Frau schon längst ihr Gesicht vergessen. Akiko irrte sich.

»Sie waren doch vor Kurzem da, nicht wahr? Schön, dass Sie wiedergekommen sind.«

Die Frau erinnerte sich.

»Bitte entschuldigen Sie«, sagte Akiko, »es gibt eigentlich nichts Besonderes, aber ...«

Die Frau lächelte. »Das macht doch nichts. Es war schön, Ihre Bekanntschaft zu machen, Sie sind jederzeit willkommen. Heute haben wir eine Totengedenkfeier, und es gibt viel zu tun, aber wenn Sie möchten, folgen Sie mir doch.«

Sie führte Akiko die Außenveranda der Tempelhalle entlang, die auf den Garten zeigte. Dann zog sie ein kleines indigoblaues Sitzkissen hervor und bot es Akiko an.

»Aber Sie haben doch so viel zu tun ...«, setzte Akiko an, doch da war die Frau schon im Inneren des Tempels verschwunden. Kurze Zeit später kam sie mit einem Tablett mit Tee und passendem Konfekt zurück.

»Entschuldigen Sie, ich werde gebraucht, aber ich bin so schnell wie möglich wieder da.«

Akiko entschuldigte sich mit Nachdruck und nahm das Tablett mit Tee und einer traditionellen Süßigkeit in Form einer weißen Blüte entgegen. Die Frau ihres Bruders war wirklich eine wunderbare Person. Wie schön es wäre, in diese Familie als die kleine Schwester aufgenommen zu werden. Sie könnte alles mit ihnen besprechen: ihre Sorgen auf der Arbeit, ihre Trauer. Sie würden ihr doch sicherlich ein offenes Ohr schenken, mit ihr trauern und sie trösten. Doch das war alles Wunschdenken. Sie wussten nichts von ihrer Existenz und würden sicherlich nichts mit ihr zu tun haben wollen. Akikos leichtgläubige Fantasie spielte ihr vor, dass ihr Bruder und seine Frau so gütige Menschen waren, dass sie sie herzlich aufnehmen würden. Selbst ein Abt und seine Frau waren schließlich auch nur Menschen. Sie würden aus allen Wolken fallen, wenn Akiko ihnen gestand, dass sie einen gemeinsamen Vater hatten.

Doch nun war sie hier, obwohl sie niemandem Schwierigkeiten bereiten wollte, und wusste nicht mehr weiter. Akiko unterdrückte ihre Nervosität, und dann setzte sich die Frau ihres Bruders neben sie.

»Entschuldigen Sie bitte, nun ist jemand da, der bei der Zeremonie aushelfen kann, daher habe ich nun Zeit.« Sie lächelte Akiko freundlich an. Akiko sah sie an und dann brach sie in Tränen aus. Seit sie ein Kind war, hatte sie nicht mehr vor anderen Menschen geweint, da war sie sich sicher.

»Was haben Sie denn?«, fragte die Frau ein wenig erschrocken und reichte ihr ein Taschentuch aus Musselin.

»E-es tut mir leid, ich …«, Akiko nahm das Tuch entgegen. Die Ränder waren mit weißen, feinen Rüschen verziert.

»Kennen Sie diese schlichten, fabrikfertigen Musselintücher?«, fragte die Frau sie. »Die sehen so trostlos aus, also habe ich Rüschen angenäht, das geht ganz gut nebenher.«

Akiko trocknete ihre Tränen mit dem verzierten Taschentuch ab.

»Wissen Sie, meine Katze …«, setzte sie an. Dann erzählte sie ihr, dass sie keine Eltern mehr habe und nun ihre einzige Familie, ihre Katze, gestorben sei und wie unerträglich sich das für sie anfühlte.

»Es ist wahrscheinlich albern, so an einer Katze zu hängen.«

»Sagen Sie das nicht«, antwortete die Frau. »Wir hatten früher auch einen Hund und eine Katze zu Hause, und wir bekommen hier im Tempel Besuch von den frei laufenden Katzen. Ihr Tod ist genauso traurig, nein, vielleicht noch trauriger als bei einem Menschen. Als meine Katze damals, als ich Kind war, starb, habe ich wochenlang geweint.«

Die Frau wirkte nun ebenfalls traurig. »Haben Sie denn ein Bild von Ihrem Kater?«, fragte sie dann.

Akiko nickte, zog Taros Foto aus ihrem Täschchen hervor und zeigte es ihr. Der Kater saß brav da und hätte eine gute Figur abgegeben, doch sein kugelrunder Kopf und sein Körper ließen ihn wie einen Plüsch-Tanuki wirken.

»Oh.« Die Frau ihres Bruders sah sich Taros Foto an, und Akiko beobachtete, wie sie ein Lachen unterdrücken musste. Die Frau verdeckte ihren Mund mit einer Hand und sah zu Boden, vermutlich, weil sie die trauernde Akiko nicht vor den Kopf stoßen wollte, doch ihre Schultern zitterten vor Lachen. Akiko munterte es auf, dass Taro sie zum Lachen gebracht hatte.

»Ja, er war wirklich ein Dickerchen«, sagte sie.

»Entschuldigen Sie, aber er sieht so unheimlich drollig aus. Er muss ein besonders glücklicher, runder Kater gewesen sein. Sie müssen ihn sehr vermissen.«

Die Frau ihres Bruders erzählte ihr, das sei nur Hörensagen, aber offenbar war Tieren ihr eigenes Schicksal nicht so wichtig wie den Menschen. Sie hegten daher keinen Groll gegenüber einem Besitzer, der sie geliebt hatte. Sie waren wohl viel mehr besorgt, wenn dieser in Trauer versank oder sich große Selbstvorwürfe machte.

»Also, erinnern Sie sich an die schönen Momente und bedanken Sie sich bei ihm. Das wird Ihnen und Ihrem Kater guttun. Wenn Sie sich weiter Vorwürfe machen, beunruhigt das Ihren Taro nur. Ja? Aber weinen Sie ruhig, wenn

Sie das müssen. Wenn nicht herausdarf, was aus uns herauswill, tut das unserer Seele nicht gut.«

Akiko nickte. »Sie haben recht.« Nach diesem Gespräch fühlte sie sich leichter, als hätte sich der dichte Nebel in ihrer Brust verzogen. Vermutlich würde die Traurigkeit noch eine Weile anhalten, doch dann würde sie sie einfach herauslassen.

Im Inneren des Tempels waren Stimmen zu hören.

Hastig verbeugte sich Akiko. »Entschuldigen Sie vielmals und haben Sie vielen Dank, dass Sie sich so viel Zeit für mich genommen haben«, sagte sie und wollte aufbrechen.

»Kommen Sie jederzeit gerne wieder. Betrachten Sie mich, wenn nicht als Mutter, doch als Ihre große Schwester.«

Akiko fuhr bei diesen Worten zusammen, und ihr wäre fast das Herz aus der Brust gesprungen.

»Haben Sie vielen herzlichen Dank«, sagte sie stattdessen und verbeugte sich kurz.

In der ratternden Bahn auf dem Weg nach Hause fragte Akiko sich unentwegt, ob die Frau ihres Bruders wohl wusste, wer sie war. Aber das war eigentlich unmöglich, ihre Worte hatten nichts bedeutet, sie hatte sie einfach so dahingesagt. Das schmälerte ihre Freude jedoch nicht. Ihr Gegenüber hatte ihr eine Tür geöffnet, das erleichterte Akiko ungemein. Sie musste sich um ihre Herkunft wohl keine Gedanken mehr machen.

Akiko dachte jeden Tag an Taro. An manchen Tagen weinte sie, an anderen nicht. Sie vertraute ihren Gefühlen und ließ die Trauer zu.

Einmal, kurz bevor sie das Café öffneten, sprach Shima-chan sie an:

»Akiko, ich habe einen Kater gesehen, der Taro zum Verwechseln ähnlich sieht.«

Sie hielt ihr ein Handyfoto hin.

»Oh, du hast recht.« Der besagte Kater war mindestens so dick wie Taro und auch seine Fellzeichnung ähnelte ihm sehr.

»Er saß auf der Mauer vor dem Krankenhaus. Als ich ihn Taro-chan rief, maunzte er und kam zu mir.«

»Wirklich? Heißt er vielleicht so? Oder hat er einfach nur geantwortet, weil du mit ihm geredet hast?«

Der Taro-chan auf dem Foto schien verschmitzt in die Kamera zu grinsen. Akiko ließ sich das Foto umgehend auf ihr Handy schicken.

Ab nachmittags regnete es stark, und der Strom an Gästen ließ nach. Pro Tisch aßen nur zwei, drei Gäste, und es herrschte eine angenehme Ruhe. So war es schön, Akiko stand im Türrahmen und sah sich in ihrem Café um. Später waren es nur noch Akiko und Shima-chan. Akiko fand es, anders als ihre Mutter oder andere Gastronomen, nicht angemessen, es sich auf den Plätzen der Gäste bequem zu machen. Shima-chan und sie stellten sich mit dem Rücken zur Küche und sahen sich ihr Café an.

»Shima-chan.«

»Ja?«

»Du hast mir nie erzählt, was für einen Spitznamen du in der Schule hattest.«

»Ich? Ich war der ... Mega-Jizō.«

Akiko prustete. »Wie die Tempelstatue, ja?«

»Und du, Akiko?«

»Ich war die Fukuwarai, wie aus dem Spiel mit dem komischen Gesicht.«

Nun musste Shima-chan ein Lachen unterdrücken, ihre Schultern zitterten dabei.

»Wir sind schon zwei Gestalten, wir beide.«

Sie begannen zu kichern, ihr Kichern wurde zu einem Glucksen, und dann brachen sie in fröhliches Gelächter aus. Welch ein Glück, jemanden zu haben, mit dem man über Unfug lachen konnte.

»Ich glaube, ich gehe demnächst mal Taro II. besuchen.«

»Das ist eine gute Idee. Am besten gehst du auch morgens hin, kurz bevor wir öffnen, dann ist er bestimmt da.«

»Danke, das werde ich.«

Akiko verspürte mit einem Mal einen Funken Hoffnung, dass sie dank Taro II. ihr ganz eigenes, bescheidenes Leben von nun an noch mehr genießen würde.

1. Auflage 2026

Titel der Originalausgabe パンとスープとネコ日和
(PAN TO SUPU TO NEKO BIYORI)

Original Japanese edition published
by Kadokawa Haruki Corporation, Tokyo.
German language translation rights arranged with Kadokawa Haruki
Corporation through The English Agency (Japan) Ltd.
and New River Literary Ltd.
Aus dem Japanischen von Yukiko Luginbühl und Sabrina Wägerle

Covergestaltung FAVORITBUERO, München
Covermotive © Shutterstock
Motive im Innenteil foten © zstockill/Adobe Stock,
Lampion © Shutterstock
Satz Buch-Werkstatt GmbH, Bad Aibling
Druck und Bindung CPI books GmbH, Leck
ISBN 978-3-462-01028-2

Kontaktadresse nach EU-Produktsicherheitsverordnung:
produktsicherheit@kiwi-verlag.de

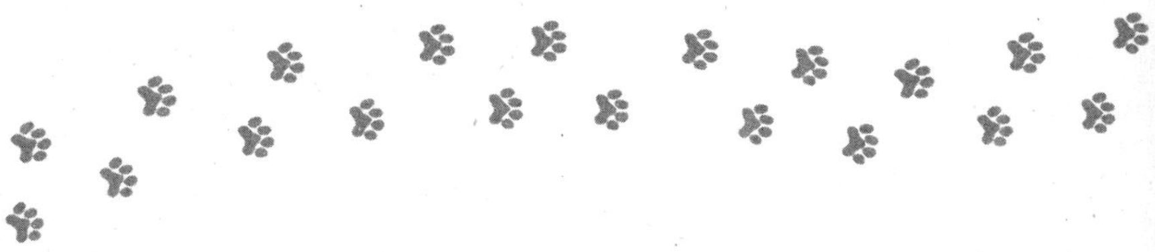